JN024768

サイエンス探究シリーズ

偉人たちの挑戦

2

物理学編 I

東京電機大学 編

東京電機大学出版局

巻頭言
社会の中のデザイナー（Designers in Society）
吉川弘之

　100年間で科学技術の大変革が起こり，近年の情報技術は急速な進化を遂げています。現在，私たちは豊富な科学的知識を持っています。人類は科学の恩恵の下で豊かさを増し，安全を獲得してきました。しかし，今の社会にはさまざまな問題があります。国際関係の緊張，地域紛争の激化，貧富の差の拡大，地球環境問題，自然災害，科学技術の副作用などです。これらの問題解決を望む社会的な期待が高まっています。

　こうした課題は1970年代から議論され，1999年の世界科学会議で，科学者の研究は平和や開発，社会のためであるべきと宣言されました。これを受け国連で「ミレニアム開発目標」（2000年）が，さらに2030年を目標にした持続可能な開発目標（SDGs）が策定されました。

　科学はこれまで自然現象をはじめさまざまな「対象」を理解できるようにしてきました。自然科学は宇宙や生命を，人文科学は言語や心理を，社会科学は社会現象を解明の対象として急速に理解を進めてきました。さらに科学的知識は行動の根拠を与えてくれました。人類は科学の発展とともに行動の様式が変わり，行動範囲も広がっていきました。

　産業革命は自然科学に支えられた工学技術の発生と同時並行であり，その後の機械化，自動化を経て現在の情報化社会を生み出しています。農業を支える農学は多様な科学的知識の統合により豊かさを増大させる主役でした。医療・製薬は20世紀に始まる分子生物学に基礎をおく生命科学の急速な発展によって革命的に飛躍し，人の健康に大きな恩恵をもたらしました。人文社会科学においても，法学，言語学，文化人類学，社会学，経済学などが文化，法律，政治，経済，通

商，国際関係などの政策を中心とする社会的，さらに個人的行動に広範に寄与しています。科学は私たちの理解および行動に大きな貢献をしてきたと言えます。

　しかし，ここで1つの疑問が生じます。今日，人類は多くの科学的知識を使って人工衛星の打ち上げに成功し，有人衛星で宇宙飛行士が何か月も暮らし，その人たちのために食糧を届けることができます。しかし，紛争地帯で飢餓に苦しむ人たちに食糧を届けることはできないのです。

　これはなぜでしょうか。私たちが実現可能と考える行動を実際に実現できるか否かは，科学だけでは説明できない場合があり，私たちが望むことを実現するための行動は，科学的知識だけでは厳密に計画できないのです。その理由は，実現可能な行動は知性だけでなく，感性をも含む世界で行われるからなのです。知性による思索能力を拡大するものとして体系的な科学的知識があり，それは増加中です。しかし，感性による行動能力のための体系的知識はまだ確立されていないのです。

　この新しい体系的知識を，「デザイン学」と呼びます。これからの社会は，科学的知識を超えた多くの創造的なデザインという仕事が人々を待っており，デザイナーの役割が大きなものとなるでしょう。そしてそのデザイナーとは独自の思索の骨格を持ち，人々に語りかける言葉を持つ，社会の中のデザイナー(Designers in Society)であるべきなのです。

吉川弘之（よしかわ・ひろゆき）
東京大学総長，放送大学長，産業技術総合研究所理事長，科学技術振興機構研究開発戦略センター長を経て現在，東京/大阪国際工科専門職大学学長，日本学士院会員。東京大学名誉教授，日本学術振興会学術最高顧問，産業技術総合研究所最高顧問。この間，日本学術会議会長，日本学術振興会会長，国際科学会議（ICSU）会長，国際生産加工アカデミー（CIRP）会長などを務める。
工学博士。一般設計学，構成の一般理論を研究。それに基づく設計教育，国際産学協同研究（IMS）を実施。主な著書に，『一般デザイン学』（岩波書店，2020年），『吉川弘之対談集　科学と社会の対話』（丸善出版，2017年），『本格研究』（東京大学出版会，2009年），『科学者の新しい役割』（岩波書店，2002年）など。

まえがき

　本書は，中学生や高校生を主な対象に，科学の分野で探究を深め偉大な発見や発明をした偉人たちの業績と生涯をわかりやすく紹介しています。真理の追究や人の役に立ちたいと自らの探究テーマを定め，さまざまな困難にも負けずについに偉業を成し遂げた先人たちの，熱意や姿勢を時間を超えて体験して欲しいと思います。また，「エピローグ」として関係の先生方から最近の研究紹介，偉人・偉業の解説等，さらに「読書案内」を寄稿いただきました。科学への興味や関心を深めるきっかけにして欲しいと願っています。

　さて，“偉人”と聞くとみなさんはきっと，裕福な家に生まれ，恵まれた環境で育ち，名門大学に進学して優秀な成績で卒業し，将来を期待される中で大きな成功を手にして幸福な人生を送った成功者のようなイメージを持つ人が多いのではないでしょうか（これが本当の成功かどうかわかりませんが…）。しかし，本書に登場する偉人たちが順風満帆の生涯を送った人ばかりかというと，必ずしもそうではありません。むしろ貧しい家に生まれ，周囲の無理解に苦しみ，戦争や差別などの厳しい環境の中，それでも諦めずに探究を続けた人が数多くいるのです。

　そうした偉人たちに共通するのは，真理の追究や人の役に立ちたいという思いを胸に，それまで誰も発見また解決できていなかった問題を，人からでなく自分自身が探究テーマとして定めたこと。そしてどんな逆境にあっても，また失敗を重ねても試行錯誤を繰り返し，粘り強く探究を続け，その結果，偉大な成果にたどり着いたことと言えるでしょう。そう言うと，みなさんの中には「成功しなかったらタダの人。自分は努力しても無駄なだけだ」と考える人もいるでしょう。もちろん探究しても成功するとは限りません。しかし探究しなければ成功はないの

も事実です。また，すべての人が成功するわけでもありません。しかしたとえ成功に至らなくても，どんなテーマでも探究する姿勢を学ぶことは貴方にとってかけがえのない財産になります。そしてその姿勢は社会のさまざまな場面で必要なのです。本書に登場する偉人たちは教科書の中の無味乾燥な人物ではありません。みなさんと同じく喜びや悲しみ，悩みを持つ同じ人間，みなさんの先輩なのです。

　さて，みなさんが生きる今日の世界にはさまざまな課題が山積しています。国連で採択された2030年の達成を目指すSDGsに掲げられた目標に向かって，いま世界がその達成を目指しています。地球環境や生命倫理，感染症やAIやIoTなどの諸課題は，どれひとつをとっても1つの分野だけでは解決できません。環境学，生物学，医学，工学，情報学，社会学，法学，心理学などさまざまな分野の知をデザインし総合した「総合知」をもとに課題解決に取り組む時代になっているのです。巻頭言をじっくり読んでみてください。そして課題解決のためには知識を鵜呑みにせず，自分の頭で考え判断し学び，課題を設定し挑戦していく姿勢が大切です。いま学校では，先生が教壇で教える形式の授業が多いと思います。しかし授業の主役は生徒なのです。先生は生徒の学びや探究をサポートする役割を担うように変化していくことでしょう。学ぶのはみなさん自身です。未来を生きていくのはみなさん自身なのですから。

　本シリーズは，偉人を紹介した国立研究開発法人科学技術振興機構サイエンスポータルの動画「偉人たちの夢」（1999年～2008年）をベースに書籍用に再編集したものです。また巻頭言や各偉人の「エピローグ」は，未来を担うみなさんのためなら，と第一線の先生方から望外のご協力を賜りました。深く感謝申し上げます。

令和4年3月吉日　　編者記す

目　次

「科学者が人類に行った著しい
貢献のひとつは，実験し，
観察データを集めようと
努力したことである」

「ボイルの法則」で知られる近代科学の先駆者

ロバート・ボイル

Robert Boyle

1627-1691

♟ 略 歴 ♟

1627 年	アイルランドの高名な伯爵の家に生まれる。
1639 年	12 歳の頃，兄と大陸留学の旅「グランドツアー」に出発する。
1644 年頃	17 歳の頃，姉の紹介で「インヴィジブル・カレッジ（見えない学校）」に入会。錬金術に熱中の後，空気や真空に関する研究に取りかかる。
1661 年	『懐疑的化学者』を出版。近代の科学者に通じる化学の思想が凝縮される。
1662 年	実験を重ね，空気の圧力と体積の関係「ボイルの法則」を発見。
1691 年	姉の死後 1 週間後に 64 歳で逝去。

　オックスフォードに住むロバート・ボイルは，馬車を飛ばしてロンドンに住む姉のキャサリンのもとへ向かっていた。16歳で結婚したキャサリンは，今ではレイメラ子爵夫人になっていた。ボイルは持ってきた書類を姉に差し出しながら言った。

「姉さん，これを見てください。僕は最近，空気の圧力と体積の関係についておもしろい現象を発見したのです」

「おやおや，難しい数字ばかり並んでいるのね。私には全然わからないわ」

「簡単に言えば，空気の圧力と体積は反比例するんです。こんなことはまだ誰も実験で確かめていません」

「ロバート，あなたの見つけたことはきっと歴史に残る素晴らしいことでしょう。でも今はそんな難しい話はやめて，さあ，こちらへいらっしゃい」

　ボイルは言われるままに姉の胸に顔を埋めた。急に安堵感が込み上げてきた。ここ数日の緊張した実験の疲れが消えていく思いだった。この日，姉と交わした会話が現実となり，「ボイルの法則」として科学史に残ることになるとは，姉も弟も気がついていなかった。時代は17世紀の半ばを過ぎていた。

　「ボイルの法則」の名は聞いたことがある人でも，その生みの親がどんな人であったのか知っている人は少ないでしょう。近代的な自然科学の研究はニュートン以降本格的に発展しますが，ボイルはニュートンに先立って活躍した科学者です。今回は，このイギリスの科学者に光を当ててみましょう。

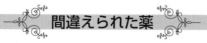

間違えられた薬

　ロバート・ボイルは1627年1月25日，アイルランドで生まれた。父親は高名な貴族で位は伯爵。子どもは15人おり，ボイルは14番目の子どもだった。

貴族の息子ですから生活には不自由しません。しかし母親が小さいときに亡くなり，母親の愛情には飢えていたようです。

　幼少の頃，ボイルは家庭教師についてラテン語やフランス語を習った。8歳になったとき，貴族のエリートが通う学校へ入学した。その頃ボイルに1つの事件が起こった。

「苦しい，助けて」

　病気になったボイルが医者からもらった薬を飲んだ瞬間，真っ青になって薬を吐き出したのである。原因は，医者が薬の処方を間違えたためだった。

すっかり怯えてしまったボイルは，病気よりも医者のほうを怖がるようになってしまいました。それからというもの，医者にかからなくても済むよう自分で医学の勉強をし，薬は必ず自分で調合して飲んだそうです。

インヴィジブル・カレッジへ入会

　12歳になったとき，ボイルは大勢の召使いを従え，兄とともに大陸留学の旅「グランドツアー」に出発した。この旅は世界各地を旅行して学業の仕上げをするのが目的で，当時の貴族階級の習慣だった。

　5年間の留学を終えイギリスに戻ったボイルは17歳になっていた。だが当時のイギリスは議会派のクロムウェル率いる革命軍と，チャールズ1世を中心とする国王軍の衝突で大混乱していた。

　帰国したボイルは，混乱するロンドンでやっとの思いで姉のキャサリンの屋敷を探し出し，感激の再会を果たす。

　キャサリンはボイルより12歳年上。数多くいた兄弟の中で最もボイルに影響を与えた女性である。その頃キャサリンは結婚し子爵夫人となっていたが，ボイ

ルとの仲はまるで恋人同士か，母と息子のように濃密だったと言われている。

キャサリンの紹介で，ボイルは多くの新進気鋭の学者や研究者，芸術家たちと知り合います。彼らは「インヴィジブル・カレッジ（見えない学校）」というサークルを作り，交流を深めました。若いボイルも進んで入会します。

後に設立されるイギリス科学会の王立協会は，「インヴィジブル・カレッジ」が母体となっている。「見えない学校」という奇妙な名前をもったこのサークルは，自然科学を集団で研究するという世界で初めての団体だった。

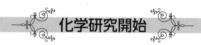

化学研究開始

この頃，ボイルは錬金術に熱中していました。錬金術というとやや怪しげな感じもしますが，当時の科学者は真剣に研究をしていたのです。

　錬金術は，異なる物質を混ぜ合わせ化学反応を起こして金を作り出そうという実験で，あのニュートンでさえ熱心に取り組んでいたと言われている。

　例えば，鉄と硫黄という異なる物質を混ぜ合わせると硫化鉄という化合物が生まれる。こうしたことから人工的に金を作り出すことも可能ではないかと考えられ，錬金術は一挙に広まった。ヒ素，亜鉛，硫酸などは17世紀までに錬金術によって発見された物質である。

　金属や薬品にさまざまな細工を施すうち，ボイルはほかの物質から合成して作り出すことのできない物質があることに気がついた。そしてボイルはこうした物質を「元素」と名づけ，それぞれの元素は異なる原子からできていると考えたのである。

オックスフォードに住まいを移したボイルは，この時期から空気や真空に関する研究に取りかかります。真空とは本当に存在するのか？　空気はどんな性質をもっているのか？　それはどうやったら証明できるのか？　こういった関心から出発したのです。

　現在では真空というものが存在することは知られているが，17世紀頃まではそうではなかった。アリストテレスによる「自然は真空を嫌悪する」という説が一般的で，真空は存在せず作り出せるはずもないと考えられていたのである。アリストテレスは数学や天文学の分野でも幅広い知識をもつ「学問の父」と呼ばれるほどの人物だったため，彼の考えは長い間定着していた。

　この説を覆す実験が1643年，ガリレオの弟子であるイタリア人のエヴァンジェリスタ・トリチェリによって行われた。ガラス管を水銀で満たし，蓋で口を塞いで逆さまにし，水銀の入った容器に入れて蓋を外す。するとガラス管の中の水銀はみるみる下がり，ガラス管の上部には空間ができた。この空間こそ真空なのではないかとトリチェリは考えたのである。

　このニュースに触発された1人のフランス人科学者がいた。数学者であり哲学者でもあったブレーズ・パスカルである。彼はトリチェリの研究をさらに進め，なぜ水銀は下がるのかを研究した。そして空気の重さ，すなわち空気圧が水銀が下がることと関係があるのではないかと考え，壮大な実験に取りかかった。

　1648年，実験はパスカルの故郷にあるピュイ・ド・ドームという山岳地帯で行われた。山の麓にある修道院の中庭に水銀の入ったガラス管を置き，同じものを気圧の低い山頂へ運んでそれぞれのガラス管の目盛を観察した。すると明らかに山頂のガラス管のほうが，中庭に置いたものより水銀の目盛が下がっていたのである。

　パスカルは山を下りながらいくつもの地点で同様の観察を行った。その結果，水銀の上下は空気の圧力によることが見事に証明されたのである。同じ頃，摩擦電気の発見者として知られるドイツのオットー・フォン・ゲーリケは，真空を作り出す空気ポンプを開発した。この実験装置によって空気の薄い山頂へ登ること

なく人工的に真空状態を作ることが容易になり，真空に関する研究は一気に盛んとなった。

ゲーリケの発明がイギリスに伝わると，ボイルも早速本格的な科学実験に取りかかりました。実験用の空気ポンプを製作して自分なりの発見をしようと考えたのです。彼の助手には有能な若者，ロバート・フックが付きました。

ロバート・フックは1635年生まれの物理学者で，ばねのように伸び縮みをする物体の動きを「フックの法則」として論理づけた人物である。フックは光に関する研究で，後にニュートンと激しい論争を繰り広げたことでも知られている。

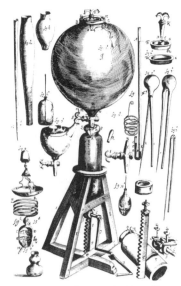

「フックくん，空気を取り除く容器はどんな材質のものがいいと思うかね」

「そうですね，鉛の容器はやめてガラスを使ってみたらどうでしょう。これなら外から中の様子が観察できます」

「うん，良い考えだ。そうしよう」

こうして完成したのが図1.1の空気ポンプである。ボイルはこの装置を使ってさまざまな実験を行い，空気が膨張や収縮すなわち弾力性をもっていることを突き止めた。

図1.1　ボイルの実験装置[1]

しかし，一部の学者はボイルの実験をいい加減なものだと非難しました。空気が膨らんだり縮んだりするなんて信じられないと言うのです。そこでボイルはさらに実験を重ね，空気の圧力と体積の関係を明らかにし，「ボイルの法則」を発見したのです。

「ボイルの法則」発表

「ボイルの法則」とは，温度が一定のとき気体の体積は圧力に反比例するという法則で，圧力Pと体積Vをかけた値は一定になるというものである。

> 体積Vと圧力Pは反比例
> ## $PV=$一定

図1.2　ボイルの法則

シリンダーの中に空気を入れ，蓋をする。気体分子が容器の壁に衝突するとき，壁を押す力が気体の圧力である。空気が漏れないように蓋を押していくとシリンダー内の空気の体積は小さくなる。押す力が弱まると蓋はばねのように押し戻されていく。

 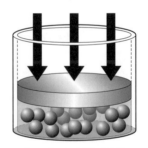

（a）分子の運動は緩やか　　　（b）分子の運動は活発

図1.3　圧力と分子の運動の関係

こうした現象を丹念に観察し，ボイルは1つの結論にたどり着いた。空気は分子と隙間で構成されていて，力を加えていない空気は分子と分子の隙間が広く，分子の運動も緩やかな状態である。これに力を加えると隙間が小さくなり，分子の衝突回数が増え，運動が活発になる。

これをグラフで表すと図1.4のような形となる。気体の体積が2分の1になると体積当たりの分子の数が2倍になる。これによって容器の壁に衝突する分子の数も2倍となり，圧力も2倍になる。気体の体積が4分の1になると体積当たりの分子の数が4倍になる。これによって容器の壁に衝突する分子の数も4倍となり，圧力も4倍になる。このことからボイルは，温度が一定ならば気体にかかる圧力と気体の体積は反比例するという答えを導いたのである。

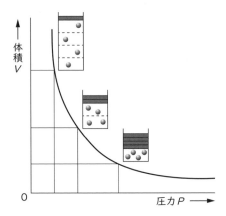

図1.4　ボイルの法則　圧力と気体の体積は反比例する

これが後に「ボイルの法則」と呼ばれることになる発見です。ボイルは誰よりも自分を支えてきてくれた姉のキャサリンに報告して喜んでもらいたいと思い，姉の家へ駆けつけました。

　科学に詳しくないキャサリンは，弟の発見がどんな価値をもっているか理解できなかった。しかし愛する弟のためにキャサリンは心の底から喜んだ。彼女にとって弟のロバートは，誰よりも愛おしく誇れる存在だった。

夜通し実験を重ねた末，ボイルはこうして気体に関する法則にたどり着きました。空気や気圧の研究において重要な発見を成し遂げたボイルでしたが，その後はどういう研究をしていたのでしょうか。意外なことに目立った発見はしていません。研究は続けていましたが実験のために徹夜を続けるような生活は，もしかすると肉体的にも限界だったのかもしれません。

ボイルの科学的思想

　ボイルはひょろりと背が高く，いつも青白い顔をしていた。体を動かすことが苦手で病気で寝込むことも多かったという。結石や中風，目の病にも悩まされていたが，昔から医者を信用していなかったため，いつも自分で調合した薬を飲んでいた。

外出の際は温度計で気温を正確に測って，それによって着ていく服をこまめに変えたほど神経質だったそうです。彼は生涯結婚をしなかったのですが，病気のためか姉への思いが強すぎたためなのか，今ではわかりません。

　1661年，ボイルは『懐疑的化学者』という本を書き，出版した。そこには近代の科学者にも通じる化学に対する思想が凝縮されていた。
「これまで化学の実験を行ってきた人々は，医者として良い薬をつくることや，錬金術師として金をつくることを目的としてきた。だが決して自然科学の進歩を目指したものではなかった。私は化学を，医師としてでもなく錬金術師としてでもなく，純粋に自然を探求するものとして扱いたい。そして科学的な操作を哲学的な目的のために用いるよう試みたい」
　1668年，41歳になったボイルはオックスフォードを引き払い，すでに未亡人になっていたキャサリンの住むロンドンの屋敷へ住まいを移した。屋敷の裏に小

さな実験室を作り，さまざまな実験に明け暮れるが目立つ成果は生まれなかった。その後は新しく設立された王立協会のメンバーに加わるが，それすら病気のため欠席することが多かったという。

1691年の暮れ，キャサリンは老衰のためベッドに横たわった。ボイルは片時もそばを離れようとせず姉を見守った。12月23日，キャサリンは最愛の弟に見守られながら息を引き取った。その1週間後の1691年12月30日，まるで姉の後を追うかのようにボイルも静かにこの世を去った。64年の生涯だった。

科学者として歴史に名を残したロバート・ボイル。研究に明け暮れた一方で，彼は熱心な宗教家でもありました。グランドツアーで旅したジュネーブで，ボイルはある嵐の夜，神の啓示を受けたと語っています。それ以来，彼の宗教への思い入れは生涯変わることはありませんでした。客観的な事実によって成り立つ科学と，主観的な精神性を重視する宗教。それが1人の人間の中で高い次元で両立していることは実に興味深いことではないでしょうか。実験によって結果を出すことを強く主張したボイルは，実験というものについてこのような言葉を残しています。

「科学者が人類に行った著しい貢献のひとつは，実験し，観察データを集めようと努力したことである」

東京都立大学
名誉教授　長浜　邦雄

　ボイルが解き明かした気体と圧力の関係。こうした研究は現在さらなる広がりを見せています。東京都立大学名誉教授の長浜先生は，流体と圧力の関係を応用した超臨界流体の研究を進めてきました。超臨界流体とは臨界点（臨界温度，臨界圧力）を超えた領域で生じる，気体や液体とは異なる性質をもつ流体のことです。

　例えば，水は1気圧のもとでは100℃で沸点となり液体から気体へ変化します。逆に温度を下げていくと0℃で氷点となり，液体である水は氷という固体へ変化します。これを220 bar以上でかつ374℃以上にすると水は超臨界流体という状態に変化します。

　図1.5は気体，超臨界流体および液体における分子の分散状態を模式的に表したものです。このように超臨界流体は気体と液体の中間に位置する分散状態で存在します。

（長浜先生）「超臨界流体とは気体でもなく液体でもない，言わば第3の流体と言えます。さらに，温度あるいは圧力を少し変えるだけで気体になったり，液体

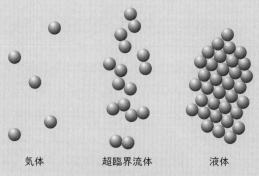

気体　　　　　超臨界流体　　　　液体

図1.5　超臨界流体のイメージ

になったりできるのです。もともと気体は密度が小さく，液体は密度が大きいのです。超臨界流体では温度や圧力をわずかに変化させるだけで容易に密度を変えられます。さらに超臨界流体は，液体に比べ拡散性が高いとか粘性が小さい，あるいは密度の変化がとても大きいという特徴があります。その辺りが超臨界流体の代表的な性質だと思います」

　ある物質を超臨界流体にする実験では，覗き窓付きの密閉された耐圧容器の中に，初めは気体と液体の両方が共存し，気液界面が存在します。これをさらに加熱すると容器内の圧力は増大し，気体・液体の両相は圧縮され，温度と圧力が臨界点を超えると突然気液の界面が消え，容器全体が超臨界流体となります。

　超臨界流体の応用例として，超臨界流体に特定な物質を溶かして必要な成分を分離，抽出することがあります。長浜先生の研究室では，二酸化炭素の超臨界流体を利用して魚油から生活習慣病予防で注目されているDHA（ドコサヘキサエン酸）を抽出したり，粒子が非常に細かい新しい顔料を作成するなどの研究が行われてきました。

（長浜先生）「汚染された土壌が問題になっていますが，汚染物質を超臨界二酸化炭素で溶解して抽出した後，圧力を下げるだけで汚染物質を簡単に分離ができるというプロセスが提案されています。普通の液体を使った方法に比べていろんな意味で特徴があるということで研究してきました」

　そのほか，ダイオキシンの分離・無害化や放射性廃棄物からウランなどの回収など，超臨界流体の応用はさまざまな分野で盛んに研究開発されています。

（長浜先生）「超臨界流体技術の商業化で一番最初に有名になったのは，コーヒー豆の脱カフェインですね。日本ではあまり脱カフェイン・コーヒーはポピュラーではないのですが，ドイツではその製造に超臨界二酸化炭素が世界で初めて使われました。従来，コーヒー豆の脱カフェインは加熱した水や有機溶剤によって行われてきましたが，それと同じことが超臨界流体によって行うことができます。つまりコーヒー豆に常温付近で二酸化炭素を加圧することによってカフェ

インの分離ができるんです。言い換えれば，熱の代わりに圧力を使うことによって目的の分離が可能となり，加熱が不要で大きな省エネルギー効果をもつ新しいプロセスの開発が期待できると思っています」

　一方，LNG（液化天然ガス）を気化して行う冷熱発電の技術や，あるいはその運送や貯蔵のために行う天然ガスを冷却して液化する技術など，気体や超臨界流体の温度と圧力の関係をうまく利用することは新しい省エネルギー技術としても注目され，盛んに研究開発が進められています。

読書案内

超臨界流体入門

化学工学会超臨界流体部会 編，丸善出版（2008）

超臨界流体について学びたい人向けの入門書です。この分野に関心をもつ学生のためにまとめられたものです。

「望遠鏡が使用され，
　顕微鏡が用いられ，
　目に見える世界が新たに見出され，
　多様な創造物を
　見ることができる」

ニュートンの陰に隠れたもう1人の天才科学者

ロバート・フック

Robert Hooke

1635-1703

略歴

1635 年	イギリス南部の牧師の家に生まれる。
1653 年	オックスフォード大学に学びボイルの助手になる。
1660 年	弾性体の伸びに関する「フックの法則」を定式化。
1662 年	ロンドン王立協会の実験主任となる。
1665 年	顕微鏡による観察記録をまとめた『ミクログラフィア』を出版し，話題となる。
1670 年頃	惑星の軌道を巡る問題でニュートンとの対立が決定的になる。
1688 年	名誉革命でフックを保護していた国王がフランスに亡命し，ニュートンの権威が高まる。
1703 年	68 歳で逝去。

白熱する科学者たち

　1684年1月のある日，ロンドン王立協会のメンバーである3人の科学者が馴染みのカフェで惑星と軌道の関係について議論していた。1人は数学，建築の分野で知られるクリストファー・レン，1人は天文学でメキメキ頭角を現し，後にハレー彗星の発見者となるエドモンド・ハレー，そしてもう1人は王立協会の事務局長を務めていたロバート・フックだった。議論が白熱するなか，レンは2人に向かって言った。

「引力が距離の逆二乗に比例する関係にあるとしたなら，太陽を回る惑星はどんな軌道を描くだろう。そしてこれを数学的に証明することは可能だろうか」

「恐ろしく難しい問題ですね。私も過去に研究してみたことがありますが，ダメでした」

　弱気なハレーとは対照的にフックは自信たっぷりな様子で口を開いた。

「はっはっはっはっ，その話なら私に聞いてくれ。以前調べたことがあるからね。証明もすでに終わっている。今その論文を清書している最中だよ。もうまもなく公表しようと思っていたところなんだ」

「本当かい？　それじゃあ，もし2か月以内に納得できる証明を示してくれたら，40シリング相当の本を贈呈するよ。これは楽しみだ」

「それでは早速，家に帰って論文の清書を続けるとしよう。では今日はこれで失礼する」

とは言ったものの，フックはまだ惑星の軌道に関する論文を完成させていなかった。家に戻ったフックは必死になって計算に取り組んだが，結局証明することはできなかった。

「難しすぎる。こんな計算，誰にもできるはずはない」

　その年の5月，ハレーは王立協会のメンバーであるアイザック・ニュートンのもとを訪ねた。

「逆二乗の法則によれば，惑星の描く軌道はどうなると思いますか」

　ハレーの質問に対し，ニュートンはあっさりと答えた。

「それは楕円だよ。証明もすでに済んでいる」

　数日後，ハレーのもとにニュートンから計算式の書かれた論文が送られてきた。そこには惑星を含めたあらゆる物体の運動に関する法則が，数学的証明によって綿密に記されていた。これがきっかけとなって物理学における記念碑的科学書『プリンキピア』が誕生するのである。

　一方，ニュートンに遅れをとったフックの胸は屈辱でいっぱいになった。

「なんてことだ。ニュートンのような若造に先を越されるとは。今に見てろ。必ず見返してやる！」

　だが，この一件がフックに悲劇的な影が忍び寄る序曲になるとは，フック自身まだ気づいていなかった。ロバート・フック，このとき49歳だった。

ロバート・フックといってもピンとくる人はそう多くはないでしょう。彼は顕微鏡による観察記録や，ばねに関する法則の発見などで活躍した科学者です。17世紀のイギリスを代表する科学者でありながら，やがてフックは歴史の表舞台から姿を消してしまうという数奇な運命をたどりました。その背景には強大なライバル，ニュートンとの対立が関係していたとも言われています。2人の間にはいったい何があったのでしょうか？
今回は，ロバート・フックの光と影に迫ります。

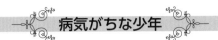

病気がちな少年

　ロバート・フックは1635年7月，イギリス南部の小島ワイト島で生まれた。父親は島で牧師をしており，子どもは4人。親族の多くは教会関係者で平均的な中流家庭の中でフックは育った。

幼い頃，フックはとても体の弱い子どもでした。食べられるのはミルクや果物ぐらいで，肉類は全然ダメだったそうです。いつも病気がちで，6歳を過ぎた頃から背中も曲がってしまいました。遊びといえば1人黙々と工作に熱中することでした。孤独に工作に時間を費やす幼少時代，これは後に彼の宿敵となるニュートンとほとんど同じです。

13歳のとき，フックはロンドンに出て画家のもとに弟子入りした。工作と同じくらい絵を描くことは得意だったのである。だがこの修行はわずかの間で終わった。

身体は弱かったのですが，頭は抜群に切れたフックは中等教育を終えるとオックスフォード大学に進みます。この時期にはそうそうたる科学者がこの大学に集まっており，その1人に当時28歳のロバート・ボイルがいました。

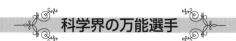

科学界の万能選手

ロバート・ボイルはフックより8歳年上。空気の圧力と体積の間には反比例の関係があるという，いわゆる「ボイルの法則」を発見した科学者である。フックはボイルに見込まれ，彼の助手となった。ボイルとフックはドイツのオットー・フォン・ゲーリケが行った真空を作り出すための実験に刺激され，自分たちで新しい真空ポンプを作ろうと思い立った。

「フックくん，空気を取り除く容器はどんな材質のものがいいと思うかね」

「そうですね，鉛の容器はやめてガラスを使ってみたらどうでしょう。これなら外から中の様子が観察できます」

「うん，良い考えだ。そうしよう」

こうしてボイルは，フックの助けを借りて真空ポンプを製作した。フックのアイデアと工作技術は素晴らしく，この真空ポンプは当時の世界最高水準をいく出来栄えだった。

その頃のイギリスはピューリタン革命を経て，再び国王が政治の権力を握り始めた時期でした。まさに時代の激動期真っ只中だったのです。政治の激変によって学問の世界も混乱していたため，オックスフォードの科学者グループは学問の火を絶やすまいとロンドンに移り，そこで世界で初めての科学者の団体，ロンドン王立協会を設立します。もちろんフックも行動をともにしました。

　まもなくフックは王立協会の実験主任に抜擢された。これは協会の会員から発表された理論を実験で確かめる責任者という役職だった。フックの実験技術の高さは以前から評判だったが，なかでもフックが作り上げた顕微鏡はたちまち科学者たちの注目を集めた。

　この顕微鏡は複数のレンズを組み合わせ150倍もの倍率を実現したもので，これによって王立協会には多くの研究成果がもたらされることになった。

　1665年，30歳のフックは顕微鏡による観察記録をまとめた『ミクログラフィア』を出版した。この本はたちまち話題となりフックの名前はさらに広まった。

図2.1　フックの顕微鏡[1]

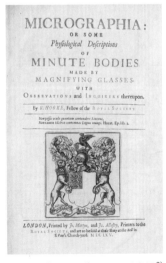

図2.2　『ミクログラフィア』表紙[2]

『ミクログラフィア』は実に見事な本でした。観察した対象が，動物や植物，鉱石などジャンルが豊富で研究内容も緻密。説明文に付けられた図版もフックの絵の才能が存分に発揮されたものですごい迫力です。

例えば図 2.3 を見てください。これは何だと思いますか？ 実はコルクの断面図なんです。フックはここに見られる格子状の模様を「セル」と名づけました。現在，「細胞」という意味で使われている「セル」は実はフックの作った言葉だったんですね。

図2.3　コルクの断面図[3)]

（a）シラミ　　　　（b）ノミ　　　　（c）ハエ　　　　（d）アリ

図2.4　フックが描いたイラスト[4)~7)]

図 2.4 (a) はシラミです。人の髪の毛にしがみついている様子を表しています。細かいところまで詳細に描き込まれていますよね。(b) はノミ。なんだか見ていて思わず痒くなりそうですね。(c) はハエ，(d) の絵はアリです。ここまで見事に描き込まれると，不気味さを通り越して美しささえ感じられますよね。
一時は画家になろうとしていたフックですから，こうした絵はむしろ楽しんで描いていたのかもしれませんね。

　フックの活動は超人的と言えるほどだった。ロンドンで大規模な火災が起こり，その多くが焼け野原になると早速，測量技師や建築家としての手腕を振るった。王立協会の実験主任として多忙な毎日を送りながら，顕微鏡や望遠鏡の改良をはじめ気圧計，風力計，湿度計，水深測定装置，そのうえランプや馬車の改良までこなしていた。

　フックのさまざまな研究の中で最も有名なのが，「フックの法則」である。これは物体に力を加えたとき，変形した大きさと加えた力は比例するというものである。この法則は現在でも工業製品の部品を製作する際などに活かされている。

まるで科学界の万能選手といった感じですね。しかし，こうしたマルチな才能は彼にとって必ずしも良いことではなかったようです。アイデアが次から次へと湧きすぎるので，最後まで 1 つのことを追求することができない。自分が有能すぎるので，他人の仕事にはついケチをつけてしまう。こうしたことから周りに敵を作ってしまうこともありました。そんなフックの前に，ケンブリッジから生涯の敵となる若い学者が姿を現します。

フックVSニュートン

アイザック・ニュートン。彼はフックより7歳年下である。奇跡の年と呼ばれる1665年から66年にかけて，20代半ばのニュートンは天体力学，数学，工学の分野で歴史的な発見を成し遂げた。しかし彼はそのほとんどを公表しようとしなかったため，学会ではまだ無名の存在だった。

> ニュートンは30歳のとき，自分で作った反射望遠鏡を王立協会に提出します。
> これが好評だったため，光に関する論文も発表することになりました。ニュートンの研究成果はどれも高い評価を集めましたが，たった1人，彼をこき下ろした人物がいました。フックです。

「ニュートンの反射式望遠鏡は屈折式望遠鏡ほどの精度もなく，まったく使い物にならん。それに光に関する研究も間違っている。光は粒子でできていると主張しているようだが，考え違いも甚だしい。光は波に決まっているじゃないか。早速手紙で間違いを正してやらねばならん」

フックからの手紙を受け取ったニュートンは激怒した。彼がこの世で一番嫌いなことは，他人に自説を貶されることだった。しかも執念深さでは誰にも負けなかった。これを皮切りにフックとニュートンは何度も対立を繰り返した。あるときは光の性質を巡って，あるときは光の周期性を巡ってという具合にである。

© Andrew Dunn

図2.5　ニュートンの反射望遠鏡（レプリカ）[8]

やがて決定的な亀裂が起こりました。きっかけは冒頭で紹介した重力と惑星の軌道を巡る問題でした。

「なんてことだ。ニュートンのような若造に先を越されるとは。今に見てろ。必ず見返してやる！」

　息をまくフックを尻目に1687年，ニュートンは『プリンキピア』を出版。圧倒的な評判を獲得した。

　フックはこの本に書かれている「逆二乗の法則」は自分が先に見つけたものだと主張したが，ニュートンに無視された。怒りに震えたフックは日記にこう書き留めた。

「あいつは利益のためにはどんな悪事でもしかねない。一番腹黒い奴はニュートンだ」

　これに対しニュートンは次のように反論した。

「彼は言いがかりをつけることしか能がないようだ。いつも口先だけで先駆者の研究をすべて横取りしたがっている」

2人の関係はもはや完全に修復不可能なところまで来てしまいました。ニュートンと対立を極めていたフックでしたが，その後はどういう半生を送ったのでしょうか？　残念ながらニュートンとは対照的に，フックの立場はますます追い詰められていきました。

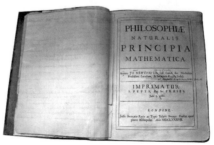

© Andrew Dunn

図2.6　ニュートンの『プリンキピア』[9]

名誉革命の余波

　1688年，国王の政治に反発したイギリス議会は，新たな指導者としてオランダ総督のウィリアム3世を招聘。これによって力を失った国王ジェームズ2世はフランスに亡命した。世に言う名誉革命である。こうした政変に伴い，名誉革命に貢献していたニュートンは国会議員に選出され，一方国王に保護されていたフックは急速に発言力を奪われていった。政治の世界で力をつけていくニュートンに対し，フックの顔色はますます青白くなり肉体的にも衰えを見せ始めた。

　『プリンキピア』が出版されて以降，フックは苦悩の連続だった。可愛がっていた18歳の姪が病気で命を落とし，兄のジョンも謎の自殺を遂げるなど，彼の身には追い打ちをかけるように次々と悲劇が襲いかかった。

　ニュートンの権威は日増しにゆるぎないものとなり，それと相反する形でフックは片隅に追いやられていった。後に王立協会の会長に就任したニュートンは，徹底的にフックを一掃しようとした。王立協会の場所を移動させ，それまで飾られていたフックの肖像画も撤去された。現在，フックの肖像画は1枚も残っていないと言われている。

　晩年，目が見えなくなったフックはほとんど寝たきりの状態になった。しかし頭脳だけは最後まで明晰だったと言われている。

　1703年3月3日，ロバート・フックはロンドンのグレシャム・カレッジの自宅で息を引き取った。68歳だった。遺言は残されず，墓の所在も不明となっている。

イギリス王立協会の光と影とも言えるニュートンとフック。2人はなぜあそこまで憎しみ合わなければならなかったのでしょうか。もちろんその大部分の要因は性格が合わなかったためでしょう。しかしもう1つの問題として，人々の実生活に役立つ発明，発見こそ科学だというフックの立場と，森羅万象の根本を理論的に解明することこそ科学だというニュートンの立場の違いもあったのではないでしょうか。これは現代にもつながる問題と言えそうです。

それにしても，ニュートンの引き立て役，悪役としてしか扱われてこなかったフックですが，とても純粋な心の持ち主でもありました。彼はこのような言葉を残しています。

「望遠鏡が使用され，顕微鏡が用いられ，目に見える世界が新たに見出され，多様な創造物を見ることができる」

群馬大学
名誉教授　長屋　幸助

（長屋先生）「フック氏は「フックの法則」で有名です。この法則は，弾性に富んだものが変形するとき，加えた力と動いた距離（変形量）は比例するというもので，これはまた戻ろうとする力（復元力）は変形量に比例するとも言えます。このことを「フックの法則」と言い，この法則の成立する物体を「弾性体」，この性質があることを「弾性がある」と言います。

　もちろんどんな物体でも弾性の範囲を超えた大きな力をかければ，元に戻らないで変形したままになったり，壊れてしまいます。しかしこの弾性の範囲内ですと，力を与えて物体を変形させてから力を取り除けば元の形に戻るわけで，この範囲内で物体を変形させても壊れないことになります。

　この「物が壊れない」と言うことは非常に大事なことでして，例えば機械とか橋とか建物などは壊れては困るわけです。そういうものを作るとき，今述べました「フックの法則」が成り立つように設計しておけば，物は壊れないわけです（実際にはもっと安全な範囲で設計されます）。このように「フックの法則」は主に機械とか構造物の強さを計算する基礎となっています。

　また，弾性のあるもの（ばねなど）に物体を取りつけ，それに力を与えて離すと物体が振動しますが，この振動も「フックの法則」を用いて計算され，振動を防止したりするのに応用されています」

　長屋先生の研究室（現職当時）では，フックの法則を利用したさまざまな研究が行われてきました。そのひとつが，機械が動くときに発生する振動を防止するための技術です。これには，ばねの力と磁石の力が応用されています。

（長屋先生）「いろいろな機械で，大きな変形をさせて元に戻したい場合は「ばね」が用いられます。ばねは大きく変形させても，「フックの法則」の復元力を得る

ことができます。この復元力にはばねに限らず，いろいろなものがあります。例えば磁気力にもその性質があります。すなわち，磁石の同極（N極とN極，あるいはS極とS極）を向き合わせますと磁気ばねが作られ，復元力が働きます。この性質を利用した研究を私たちがやっていました。

図2.7は私たちの研究室で開発した「外乱相殺による振動遮断法」を説明する装置です。この装置では，電磁石（コイル）と振動体（向かって右のアルミのL型棒）がばねで結合されています。この状態で電磁石を振動させると，力が振動体に直接伝わり電磁石と振動体は一体となって振動します（図2.8（a））。この振動を遮断して，振動体を静止させることを考えます。

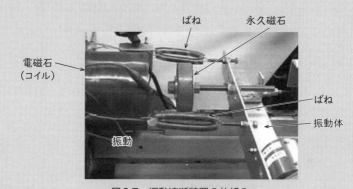

図2.7　振動遮断装置の仕組み

（a）制御前

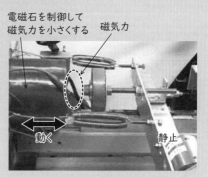

（b）制御後

図2.8　振動遮断装置の制御

今，図2.8 (b) のように電磁石が向かって左に動くとき，電磁石の電流を制御して永久磁石の作る磁場を変化させて，ばねの復元力に相当する分を電磁力でキャンセルすると，ばねが変形しても力が振動体に伝わらないので振動が遮断され，電磁石側は振動しますが，振動体は静止することになります。

　逆に電磁石側が右に動くときも同様の制御を行うことで，左右の動きの振動を遮断することができます。この方法のメリットは，振動する物体が軽くても振動をほぼ完全に遮断（絶縁）することができる点にあります。

　ほかにも電力を貯蔵するための装置（図2.9），高温超伝導フライホイールなども研究してきました。これは，超伝導体と言われる物質の上に磁石を置くと空中で磁石が浮上し，磁石と超伝導体の間に復元力が発生します。この磁石に円盤を取りつけて回転させることで，回転エネルギーを円盤に貯蔵するものです。空中に浮かせて円盤を回転させますので，摩擦によるエネルギーの損失がなくなります」

図2.9　高温超伝導フライホイールの実験装置

 このように「フックの法則」はあらゆる場面で活かされています。フックの研究は現代科学に計り知れない影響を与えたと言えるでしょう。

（長屋先生）「ロバート・フックはいろいろなことをやっています。主に物理の人ですが，海洋とか，気象とか天文なども手がけています。つい夢中になってなんでもやってしまう人なのだと思います。一番有名なのは「フックの法則」ですが，ほかにも手がけた多くの分野でかなりの成果を上げています。何かを深く究めていくと，そこで興味をもつことはよくあることです。すると面白くなって集中して取り組んで成果を上げていく。これは現代人にも大事だと思いますね。フックはそういう意味では非常に幅広くいろいろなことに取り組みましたけれども，そのどれも一生懸命にやってそれでしっかりした成果を上げたというところが，私は偉いと考えています」

 読書案内

わかる！使える！ばね入門

日本ばね学会 編，日刊工業新聞社（2019）

ばねはいろいろな機器に組み込まれる機械の基本要素です。本書では，ばねの性質と使い方，およびフックの法則を用いた設計法を説明しており，高校生にも理解していただけると思います。これにより，物理を基本とする機械工学に興味をもっていただきたいと考えています。

「私は仮説は立てません」

近代科学の巨人
アイザック・ニュートン

1642-1727

Isaac Newton

⚜ 略 歴 ⚜

1642 年	12 月 25 日，イギリス・リンカーン州の郊外ウルスソープで誕生。
1661 年	18 歳のときケンブリッジ大学に進学する。
1666 年頃	24 歳の頃に，故郷ウルスソープで後の「万有引力の法則」につながる重力の「逆二乗の法則」に気づく。
1687 年	これまでの研究内容をまとめた科学書『プリンキピア』を発表。この『プリンキピア』は，科学界に大きな波紋を投げかける。
1688 年	国会議員に選ばれる。
1703 年	王立協会の総裁に就任。理論の対立や権利の争いなどのトラブルは絶えず起こっており，特に天文学者ジョン・フラムスティードと，数学者ゴットフリート・ライプニッツとのトラブルが深刻だった。
1727 年	3 月 20 日，逝去。

世界を驚かせたひらめき

1666年，イギリスの，とある農園。りんごの木のそばで1人の青年が何かを考えている。この青年の頭に，今どんな考えが渦巻いているのか誰も知らない。だがやがて世界は知ることになる。このとき青年の頭に渦巻いていた考えこそ，人類の財産となる偉大な思索であったことを。青年の名はアイザック・ニュートン。このとき24歳だった。

りんごが木から落ちるのを見て「万有引力の法則」を思いついた——ニュートンを語るときに必ず出てくるエピソードです。これが事実かどうかは誰にもわかりませんが，人並み外れた直感力をもっていたニュートンの一面をよく表しています。物事を考える能力については人類を超越した天才と言われたニュートンですが，その生涯は果たしてどのようなものだったのでしょうか。

非凡な苦学生

アイザック・ニュートンは1642年12月25日，イギリス・リンカーン州の郊外ウルスソープで生まれた。父親は彼が生まれる直前に亡くなり，母親の手で育てられた。実家は農園を経営し生活は安定していた。

1642年といえば，物理学の父ガリレオ・ガリレイが亡くなった年です。ニュートンはこの偉大な科学者の後を継ぐかのようにその年に生まれました。しかし，子どもの頃は目立つこともなく，ほかの子どもと違う点といえば物事をひたすら考えるのが大好きだったことでした。

「月はなぜ落ちてこないのだろう。消え去ることもなく，いつも地球の周りにいるのはなぜだろう」

ニュートンは毎晩のように1人空を見上げていた。

1661年，18歳のときニュートンはイギリス一の名門校ケンブリッジ大学に進学。教授や学生の雑用を行うことで学費を賄っていた。

この頃のニュートンは，読書に打ち込む孤独な学生でした。ただ1人，数学者のバロー教授だけはニュートンの非凡な才能を感じ取っていたのか，講義の後，自分の研究の手伝いをさせたりもしていました。

1665年，ニュートンの大学生活は中断した。恐るべき伝染病ペストが大流行し，ロンドンでは7万人の死者を出した。大学も一時的に閉鎖され，ニュートンは仕方なく故郷ウルスソープへ戻った。

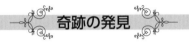

奇跡の発見

ニュートンはここでひたすら考えごとに集中しました。そしてついに，誰もがまだ答えを出していない理論を完成させてしまったのです。

その第1は，数学における公式の確立である。二項定理や微分積分といった現在の数学や物理でも使用されている計算方法の基礎を作り出した。第2は，工学上の発見である。白色光は異なるさまざまな色が重なり合って構成されているこ

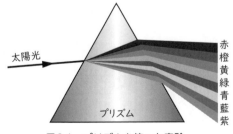

図3.1　プリズムを使った実験

とを，プリズムを使った実験で証明した。

そして第3は，ニュートンの名を世界に知らしめた「万有引力の法則」である。その頃ニュートンは，ガリレオ・ガリレイの唱えた「慣性運動の原理」について思いを巡らせていた。「慣性運動の原理」とは「運動しているあらゆる物体は，外から何かの力を加えられない限り，同じ運動を永久に続ける」というものである。ニュートンは空を見上げ，月がなぜ地球の周りを回っているのか考えを進めた。「もし，地球から月を引き寄せる力が働いていないなら，月はそのまま遠くへ行ってしまうはずだ。ところがそうならないのは，月が地球からの引力を受けて引き寄せられているに違いない。その結果，飛び去ろうとしている月はいつまでも地球の周りをぐるぐる回っているのだ」

ニュートンは発見した。宇宙のあらゆるものに働く無限の力を。それは「万有引力の法則」が確立した瞬間だった。ニュートンは月が回っている円の大きさと速度を計算し，月に働く地球の引力の大きさは，月が地上にある場合の3,600分の1であることを弾き出した。地球の中心から地表までの距離を1とした場合，地球の中心から月までの距離はその60倍となる（図3.3）。

このとき，ニュートンは気がついた。

「60を2乗すれば3,600となる。ということは，引力の大きさは距離の2乗に反比例するんだ」

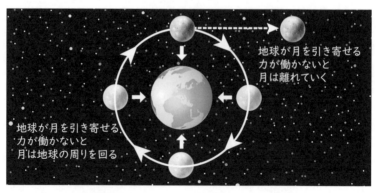

地球が月を引き寄せる
力が働かないと
月は離れていく

地球が月を引き寄せる
力が働かないと
月は地球の周りを回る

図3.2　ニュートンによる地球と月の考察

ニュートンは，地球と惑星における引力の関係を，「逆二乗の法則」によって解き明かした。地球の中心から離れている物体に働く力を1とすると，その距離が2倍の物体に働く引力は4分の1となり，距離が3倍になれば引力は9分の1となることを，数式によって導き出したのだ（図3.4）。

　「万有引力の法則」は，天体の運動や地球の大きさが測定された近年の研究でも，理論の正しさが証明されたのである。

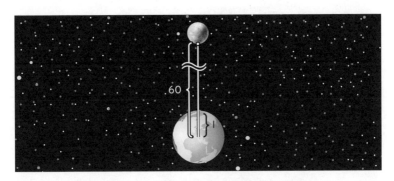

図3.3　ニュートンが算出した地球と月の距離

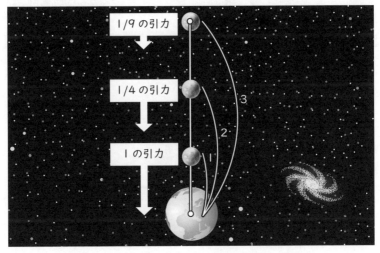

図3.4　ニュートンによる地球と惑星の引力の関係

ニュートンがウルスソープで過ごした2年間は、まさしく「奇跡の年」と呼ぶに相応しいものでした。この期間に20代の青年が近代物理学の基礎を固めてしまったのですから驚きです。ニュートンは多くの素晴らしい研究成果を携えて、ペストのおさまった1667年に大学に戻りました。

反射望遠鏡を発明する

　バロー教授の推薦で、26歳のニュートンはケンブリッジ大学の教授となった。しかし、ニュートンの講義は学生にとってあまりにも難しく、講義の時間に1人も学生が集まらないことも多かった。そんなとき、ニュートンは気にすることなく研究室で錬金術の実験を始めた。錬金術とは物質を金に変化させようとする神秘的な実験で、当時は普通の学問として研究が進められていた。

研究と実験に明け暮れていたニュートンでしたが、その頃まだウルスソープでの研究成果を発表していませんでした。発表によって研究内容をほかの学者から批判されたりすることが、何よりも嫌だったのかもしれません。しかし、ニュートンが作り上げた反射望遠鏡が、彼を学会へ引きずり出すきっかけとなりました。

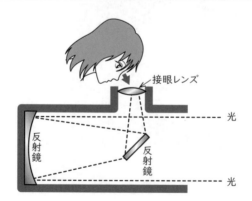

図3.5　反射望遠鏡の仕組み

ニュートンが完成させた反射望遠鏡は，プリズムと白色光の研究を発展させたものだった。内部にはくぼみをもった鏡が取りつけてあり，取り込んだ光を鏡が反射させ，さらに反射鏡によって光の方向を変え，大きな倍率で接眼部分に送るという構造だった。

　この反射望遠鏡が評判となり，ニュートンは科学者の集まりとして当時最高の権威をもっていたロンドン王立協会の会員となったのである。

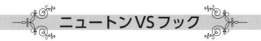

ニュートンVSフック

王立協会に加入したことはニュートンにとって正しい選択だったのでしょうか。まもなく彼はこれまで避けていた学者たちとの論争の渦へ巻き込まれていくのです。なかでも激しい論争を戦わせたのは，ロバート・フックでした。

　ロバート・フックは，ばねのように伸び縮みをする物体の動きを「フックの法則」として論理づけた物理学者だった。彼は，ニュートンが工学について書いた論文を「自分の研究の焼き直しだ」と痛烈に批判した。

これを知ったニュートンは猛烈に腹を立て，以後2人は激しい論争を繰り返しながら，修復不可能な対立関係となります。

　ニュートンは自分の研究に絶対の自信をもっていた。そのため「批判をするものには，隙間のない理論で対抗するほかない」と考え始めた。

　そんなある日，ハレー彗星の発見者として知られる天文学者エドモンド・ハレーが王立協会の会合で会員たちに1つの問題を提示した。

「太陽からの引力を受けている彗星の軌道はどのような形をしているか？　そしてその証明は？」

　この問いかけにフックは「2か月以内に答えを出す」と宣言した。一方，ニュー

トンはフックへの対抗心も重なり，次第に答えを導き出していった。

　2か月後，フックはハレーの問いかけに答えることができなかった。しかしニュートンは，自宅を訪れたハレーにこう答えた。

「太陽を回る彗星の軌道は？」

「それは楕円だよ」

　ハレーは，さらりと言い放ったニュートンの言葉がすぐには信じられなかった。天文学者であるハレーでさえ，天体観測を毎晩続けてもわずか2か月という期間では正確な答えは出せないと思っていたからである。ハレーはその答えをどうして出したのかニュートンに尋ねた。

「なぜって？　計算しただけだよ」

　その後，ハレーはニュートンから計算式の書かれた論文を受け取った。そこには，惑星を含めたあらゆる物体の運動に関する法則が数学的証明によって綿密に記されていたのである。

『プリンキピア』を発表

ニュートンの確立した証明は，類を見ないほど完璧なものでした。この素晴らしい理論を王立協会だけで独占するのはもったいないと考えたハレーは，論文を本にまとめ出版するようニュートンに勧めます。費用の一部さえハレーが負担するほどの入れ込み様でした。

　1687年，ニュートンはこれまでの研究内容をまとめた科学書『プリンキピア』を発表した。ニュートンの確立した理論はウルスソープ以来，20年の時を経て世界にその姿を現したのである。『プリンキピア』は別名『自然哲学の数学的原理』と呼ばれ，第1部から第3部までで構成されている。内容は，天体と地上の物質の運動理論を1つの科学体系に統一したものである。ウルスソープでの奇跡のひらめきを厳密な理論で形にした『プリンキピア』は，世界中で絶賛の嵐に包まれた。

しかし，内容をすべて理解するのはかなり難しいと言われていました。それもそのはず，ニュートン自身がこう言っているのです。

「数学を少しばかりかじった人に腹を立てさせられるのはごめんだから，わざと難解な書き方をした。しかし有能な数学者には理解してもらえるはずだ」

『プリンキピア』の成功は，ニュートンをイギリス一の科学者に祭り上げた。物理学の革命児として，ニュートンはヨーロッパ全土の注目を集めたのである。

ニュートンの『プリンキピア』は，科学の世界に大きな波紋を投げかけた。対立が続いていたフックからは，またしても「自分の研究を盗んだ」という声が上がってきた。そればかりでなく，フランスでは『プリンキピア』を認めない集団がニュートンへの批判を強めていた。ルネ・デカルトの学説を継承していた学者たちである。

ルネ・デカルトという人物は「我思う，ゆえに我あり」の名言で知られるフランスの哲学者です。同時に，空間の座標や光の入射角について研究をしていた数学者でもありました。

デカルトはニュートンが生まれた7年後にこの世を去っていた。しかし，彼の残した学説は『プリンキピア』とは，まったく異なるものだったのである。それは「宇宙は無数の小さい粒子で満たされており，その粒子がぶつかり合うことで運動が起こる」というものだった。この学説は当時のフランスで広く浸透していたため，『プリンキピア』の理論も簡単には受け入れられず，デカルト派の研究者たちは声高に反論した。

「地球と月があれだけ離れているのに作用し合う力などあるわけがない」

「『プリンキピア』には，なぜ引力が発生するのかは説明されていない」

「ゆえにデカルト派の我々は引力の存在を認めるわけにはいかない」

従来の仮説を突き崩した『プリンキピア』には逆風も多かった。しかしニュートンは「あくまでも理論によって物事は証明されなければならない」と固く信じてい

たのである。

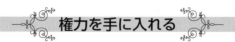

権力を手に入れる

　1688年，社会的名声を得たニュートンは国会議員に選ばれ，2年間を政治家として過ごした。しかし国会で発言した言葉は，2年間の間にたった一言だけだった。「風が入るので，その窓を閉めてくれ」

国会議員としての生活を終えたニュートンは，1696年に造幣局の長官に就任しました。かつて錬金術に熱中し，金を作り出そうとしていたニュートンが，本物のお金を作る造幣局の長官になったというのは単なる偶然でしょうか。当時イギリスでは偽札作りが横行していたのですが，ニュートンは国会議員時代とはまるで別人のように，偽札の摘発に執念を燃やしました。偽札作りを逮捕すると，ただちに死刑台へ送ったぐらいです。この辺りになんとなくニュートンの屈折した心の闇がうかがえます。

　1703年，ニュートンは王立協会の総裁に就任した。巨大な権力を手にしたニュートンだったが，理論の対立や権利の争いなど，いつもトラブルは絶えなかった。

ニュートンとのいざこざで特に深刻だったのが，この2人です。天文学者ジョン・フラムスティードとは，星座に関する彼の資料をニュートンが強引に公表しようとしたことから関係がこじれます。数学者ゴットフリート・ライプニッツとは，微積分の計算式をどちらが先に編み出したのか生涯争っていました。こうしたトラブルに対しニュートンは，学会のトップとしての権力を振りかざすことで，気に入らない相手を黙らせたりもしていたようです。『プリンキピア』は理論の積み重ねで構成された本ですが，それを書いたニュートンという人物は，極めて感情的な側面をもっていたのかもしれません。

晩年でも視力は衰えることなく，耳もよく聞こえていたというニュートン。科学の歴史に革命を起こした偉大な科学者は，1727年3月20日，病魔に侵されこの世を去った。84年の生涯だった。

第2の奇跡の年と呼ばれた1905年。この年，アルベルト・アインシュタインが「相対性理論」とともに登場しました。それまでの約250年間，ニュートンの物理学は不動の真理でした。もちろん今でもその価値が失われることはありません。確かにニュートンの人生は，真理の追求だけではない人間臭い一面も覗かせています。しかし，それらを含めてニュートンは「科学の巨人」という名に相応しい存在だったのでしょう。ニュートンはこのような言葉を残しています。

「私は仮説は立てません」

 エピローグ *Epilogue* 　❧ 後世に大きな影響を与えたニュートン ❧

東京大学大学院総合文科研究科

教授　橋本　毅彦

　　　近代科学の夜明けを告げたウルスソープでの驚異のひらめき。ニュートンは自然の力が作用する原理を解明し，科学の進歩を大きく加速させました。数学的証明による彼の理論はその後もさまざまな分野で応用され，科学の研究や発見に大きな影響を与えています。

(橋本先生)「ニュートンはコペルニクスの地動説の提唱に始まった「科学革命」を完成させた人物とも言われます。一方でケプラーの惑星運動論に代表される天文学，その一方でガリレオによって提唱された慣性の概念に基づく運動学，さらに万有引力という独自の考えを導入し，それらを見事に融合させ新しいニュートン力学の体系を打ち立てました。新理論によって，月や惑星の運動が理論的に説明できるようになりました」

図3.6　惑星の運動は太陽からだけでなく，別の惑星からも引力の影響を受ける

ニュートンの理論は，新しい天体の発見に大きな役割を果たしています。ある天体を観測する際，天体の運動をニュートンの理論に当てはめてみると少しずれが生じる場合があります。そこで，その背後にさらに未知の天体があり，引力が影響を及ぼしているのではないか，という予測につながるのです。

(橋本先生)「19世紀に天王星の運動を観測しているとちょっとしたずれが観測され，その外側に未知の惑星があるのではないかと予想され，実際にその新惑星が確認され「海王星」と命名されることになりました。実はニュートン力学は18世紀の間は，ずれが観測されるとニュートン力学の信憑性が疑われることもありました。それは3つ以上の天体の相互作用をすべて計算するのが非常に難しかったことに起因します。18世紀の間，ニュートン力学は鍛え上げられて強力な計算力をもつ理論体系になりました。また観測天文学も望遠鏡の精度向上とともに発展しました。19世紀の海王星の発見は，そのような背景があり成し遂げられたことだったのです」

 観測だけでは難しかったことを見つけ出すことのできたニュートンの理論。彼の業績は，後世の研究者たちにとても大きな影響を与えたでしょうね。

(橋本先生)「ニュートンは主著である『プリンキピア』という著作とともに，『光学』という著作を著しましたが，その双方が後世の科学者に影響を与える業績にな

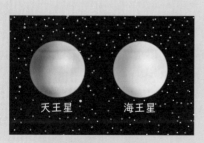

図3.7　天王星と海王星

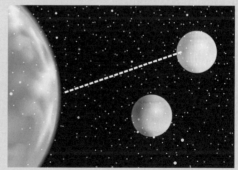

図3.8　ニュートンの理論に従って観測を続けると新しい惑星を発見できる

りました。18世紀以降の科学者は，『プリンキピア』で論じられる力学や天文学の理論を発展させていきました。当初は疑問ももたれていた万有引力の概念は確固たる法則としてみなされるようになりました。一方で，ニュートンの理論体系はもっぱら太陽系の天体を対象とするものでしたが，恒星の天体現象，太陽系を超えたより大きな宇宙のあり方については，後世の天文学者にとっての大きな宿題となりました。そのためには，より精密で詳細な天体観測とともに，ニュートン力学を超えた理論の登場により成し遂げられていくことになります」

 読書案内

西洋天文学史

マイケル・ホスキン 著，中村 士 訳，丸善出版 (2013)

古代から現代までの天文学を簡潔に読みやすく解説した本です。本書の中でニュートンの功績も解説されています。また，岩波新書の『ニュートン』(島尾永康 著，岩波書店 (1994)) は伝記としては一番コンパクトにまとまっている本になります。

「明日なすべきことあらば,
今日のうちにせよ」

科学者として, また政治家としても活躍した
ベンジャミン・フランクリン
1706-1790
Benjamin Franklin

🎖 略 歴 🎖

1706 年	アメリカ・マサチューセッツ州のボストンで誕生。
1723 年	17 歳頃, フィラデルフィアへ飛び出し, 印刷工場に就職。
1724 年	18 歳頃, 印刷の修行にロンドンへ行く。
1728 年	22 歳頃, 印刷所開業。『フィラデルフィア新報』『貧しいリチャードの暦』等を発刊。
1742 年	36 歳頃, 新型暖炉の研究に打ち込む。
1746 年	40 歳, 電気の研究を開始。
1752 年	雷が電気であることを証明する。
1765 年	59 歳頃, 印紙税反対運動に参加。
1776 年	70 歳, アメリカ独立宣言を作成。
1790 年	4 月 17 日, 84 歳で逝去。

電気研究とアメリカ建国の立役者

　1752年6月，その日は朝からどんよりとした雲が空を覆っていた。夕方になると大粒の雨が降り出し，雷鳴が轟き始めた。フランクリンは21歳になる息子のウィリアムを連れて近くの牧草地へ急いだ。息子は手製の凧を抱えていた。
「今日こそ証明してみせるぞ。稲妻が電気であることを！」

　杉の木を十字に組み合わせ布を貼りつけた凧は，強風の中を勢いよく上がっていった。凧の先には30 cmほどの針金が取りつけられている。フランクリンは懸命に凧を制御する麻紐を握っていた。雷鳴とともに青い閃光が夜空を駆け抜けた。その瞬間，凧の先の針金が光る。雨に濡れた麻紐を凄まじい勢いで電流が走った。フランクリンは麻紐の先にくくりつけた金属製の鍵に手を近づけた。すると鍵から火花が飛び，手にはしびれるようなショックが襲った。
「間違いない。稲妻の正体は電気だ！」

図4.1　ベンジャミン・フランクリンの凧上げ実験を描いた絵画[1]

嵐の中を漂う凧を，2人はいつまでも見つめていた。ベンジャミン・フランクリン，このとき46歳だった。

今，紹介したのは，あまりにも有名なフランクリンの凧上げのシーンです。フランクリンは電気研究の先駆けとして知られる科学者ですが，同時に政治家としても有名な人物です。
アメリカ人は初代大統領ジョージ・ワシントンを「建国の父」と呼んでいますが，フランクリンのことは「建国の母」と呼んでいるそうです。それくらいアメリカという国が作られる際に，フランクリンが果たした功績は大きかったようです。政治家としても，科学者としても，フランクリンはアメリカの歴史に大きな影響を与えました。それはいったいどんな活躍だったのでしょう。
今回は，科学者と政治家という2つの人生を生きたフランクリンの生涯に迫ってみましょう。

無一文でペンシルヴァニア州へ

ベンジャミン・フランクリンは1706年1月17日，マサチューセッツ州のボストンで生まれた。イギリスの植民地だったアメリカが独立する以前である。父親はイギリスからの移民で，ろうそく作りを仕事としていた。二度の結婚で17人の子どもがいたので生活は裕福ではなく，フランクリンは15番目の子どもだった。

とても学問に集中できる環境ではなかったようですね。フランクリンは10歳の頃から父親の手伝い，12歳からはお兄さんが経営する印刷所で丁稚奉公として働きます。ところが17歳のときお兄さんと衝突し，ひとりボストンを飛び出します。

フランクリンは無一文のままペンシルヴァニア州のフィラデルフィアにたどり着いた。フィラデルフィアはその後，彼が人生の大部分を過ごす場所となる。

フランクリンは新天地で印刷工場に就職します。仕事に追われる日々が続くうち次第に，このままでいいのだろうか，と焦る気持ちが募り始めました。
そんな矢先，ロンドンで本格的に印刷技術を勉強してみたら，と助言してくれる人が現れます。フランクリンは迷うことなく，これに飛びつきました。

　こうしてフランクリンは，2年ほどロンドンの大きな印刷工場で働いた。活字を拾いながらたくさんの本を読む機会にも恵まれた。その一方で，自分で書いた論文を工場で印刷し，本にまとめたりもした。科学についても少なからず関心をもっていたので，フランクリンはイギリスで一番有名な科学者，アイザック・ニュートンに会いに行こうとしたが，実現しなかった。

もし2人が会っていたら，このエネルギッシュな若者とニュートンの間でどんな会話が交わされたのか，興味津々ですね。ともあれ，2年間のロンドン修行時代を終えたフランクリンはアメリカに帰国します。

実業家としての実力

　フィラデルフィアに戻ったフランクリンは，1728年，22歳のときに念願の印刷所を開業する。最初の成功は，自ら原稿を書き，印刷した『フィラデルフィア新報』の発刊だった。わかりやすい文章で地域ニュースや主張を伝えるこの新聞は，たちまち評判となった。

図4.2 『貧しいリチャードの暦』表紙[2)]

青年実業家フランクリンは，若いにもかかわらず商売上手でした。州の議会に取り入って関係書類の印刷を手がけ，そのうえ紙幣の印刷まで引き受けます。さまざまな印刷物の中で最大のヒットは，『貧しいリチャードの暦』と名づけられた暦の本でした。この中には実生活に役立つことわざがたくさん織り込まれており，25年も続くロングセラーとなったのです。

「この本は庶民に知識を伝える格好の手段になると思った。暦の合間にことわざ風の文句を挟み込んだのだ。これらは，勤勉と倹約こそが富を得る最良の手段になることを説いたものだった」

この本は爆発的に売れました。なにしろ庶民の生活に根づいたエピソードで綴られていますから，わかりやすく大変面白かったのです。どんなことわざが載っていたのか少し紹介しましょう。

「眠る狐にゃ鶏は捕まらない」
「「時間はたっぷり」は，いつも時間不足」
「怠慢は万事を困難に，勤勉は万事を容易にする」

「怠け者がゆっくり歩くと貧乏が追いつく」

このような具合です。「空の袋はまっすぐに立ちにくい」——この意味，わかりますか？「貧乏だと真っ正直に暮らすのが困難になる。だから一生懸命働いてお金を貯めなさい」という意味です。大事な教訓ですね。
ところで，この頃からフランクリンの才能が目を覚まし始めます。それは何といっても組織をまとめる上手さでした。

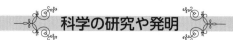

科学の研究や発明

フランクリンは文学や科学好きの仲間を集めて，知的交流の社交場を作った。会費を出し合い共同で本を購入すれば，少ない投資で多くの知識が得られると考えたからである。

こうしてフランクリンの提案で始まった会員制図書館が，アメリカで生まれた公共図書館の始まりとされています。ほかにも学校や消防組合，さらに独立戦争が始まる頃には義勇軍の組織化にも，その手腕を発揮しました。

今や，フィラデルフィアでも有数の実業家となったフランクリンだったが，科学への興味は若い頃から芽生えていた。学校で正式に科学の勉強をしたことがないフランクリンは，興味を覚えると自分で工夫しさまざまな実験をした。そして，彼の関心はいつも実用性に置かれていた。例えば，23歳のときにこのような実験をしている。

洋服屋から取り寄せたさまざまな色見本を，晴れた日の雪の上に置く。時間が経過すると黒い布地は太陽の光を集め，雪を溶かした。しかし，白い布地はそのまま雪を溶かさずにいたのである。こうした実験をフランクリンは自らの手で繰り返し，暑い夏には白い服，寒い冬には黒い服が適している，という結論を導いた。

フランクリンは，科学的実験を実用性に結びつけることに情熱を燃やします。こうした気持ちが見事に実を結んだのが，フランクリン式暖炉の発明でした。

　寒さが厳しいペンシルヴァニア州は，1年の半分を暖炉の世話になる。当然，燃やす薪の量もばかにならない。そこでフランクリンは，熱効率の良い新しい暖炉を作れないかと独自に研究を始めた。

　彼が作った新型暖炉は，床下から取り入れた空気を暖炉の後ろで十分に温めてから薪を燃やす仕掛けになっている。これによって，今までよりも少ない薪の量で部屋を暖めることが可能となったのである。このフランクリン式暖炉は薪代を大幅に節約できたため，たちまちペンシルヴァニア中に広まった。

好奇心旺盛なフランクリンが次に興味を示したもの，それは電気でした。電気と言っても当時知られていたのは静電気だけで，流れる電気，つまり電流はまだ知られていなかったのです。

図4.3　フランクリン式暖炉[3]

1746年，オランダで発明されたライデン瓶は，静電気を蓄える装置としてアメリカにも伝えられた。この実演を見たフランクリンは早速，電気の研究に熱中した。

暗くした部屋でライデン瓶に電気を蓄え，瓶の中央に立てた棒に針金を近づける。すると棒と針金の間で火花が激しく飛んだのである。フランクリンは細い針金や太い針金など，さまざまな金属で実験を重ね，その結果，先の尖った金属のほうがより簡単に放電が起こるという事実を発見した。これが後の避雷針の発明に結びついたのである。

図4.4 ライデン瓶から避雷針を発明[4]

科学実験の面白さは彼を虜にしました。42歳にして財産も十分にできたことだし，残りの人生は科学実験と遊びのために使おうと考え，印刷業界からの引退を宣言します。もちろん，商売上手のフランクリンですから，収入が途絶えない仕組みを確保したうえでのことです。つまり，自分が出資した印刷所をいくつか作り，自ら働かなくても売り上げの配当でお金が入ってくるようにしたのです。

避雷針の誕生

しかし，残りの人生を科学実験と遊びで過ごそうという彼の望みは叶えられなかった。発明家や事業家としても有名になっていたフランクリンは，引退宣言の6日後にはフィラデルフィアの市会議員に推薦され，政治の舞台に引っ張り出されたのである。

政治家として忙しい日々が始まる頃，時間を見つけて行っていたのが冒頭の凧上げの実験である。引退宣言から4年目のことだった。

稲妻の正体が電気だという説はフランクリンが最初ではない。しかし，実験に

よって証明した者はそれまで誰もいなかったのである。この実験を成功させたフランクリンは，今度は落雷の被害を防ぐという実用的な面に研究を発展させた。先の尖った金属で電気を引き寄せ，それを地面に逃がしてやれば落雷の被害は防げるのではないか。こうして現在でも使われている避雷針が誕生したのである。

電気の研究はその後，新しい局面へ突入していきました。1800年にイタリアのボルタが電池を発明すると，ヨーロッパを中心に研究が進みます。アメリカで電気の研究が復活するのは，発明王エジソンが電灯を世に送り出すまで待たなくてはなりませんでした。
さて，凧上げの実験によって科学者としても一流と認められたフランクリンですが，その後は政治家として目覚ましい活躍を見せて行きます。その1つがアメリカ独立へと発展していく社会運動でした。

政治家としての活躍

1765年，アメリカで大規模な反対運動が起こった。イギリス本国が植民地アメリカから税金を徴収するために印紙税を導入しようとしたのである。アメリカに大きな負担を強いるこの制度は，国中で猛烈な反発を呼び起こした。

すでに植民地議会の議長となっていたフランクリンは，植民地の代表としてイギリスに赴き印紙税の廃止を訴えた。

「我々の意見は本国にまったく反映されていない。それなのに税金を加算されるなんて，とても納得できる話ではない。我々は断固として印紙税の導入に反対する」

フランクリンの働きで，アメリカはついに印紙税の廃止を勝ち取ります。しかし，こうした出来事がきっかけとなって，本国と植民地の関係は一触即発の緊迫した状況となってしまいました。

1775年，ついに交渉が決裂。両者は武力衝突し，アメリカの独立をかけた戦争が始まる。翌年の1776年，5人で構成された委員会によって独立宣言が作成された。原文を書いたのは若き政治家トーマス・ジェファーソン。フランクリンもその委員の1人だった。独立宣言は7月4日，フィラデルフィアから全世界に向けて発表された。

「すべての人間は生まれながらにして平等であり，神によって，生命，自由，幸福の権利が与えられていることを，我々は絶対の真理であると信じている」

　独立宣言が出された当時，中心人物のジョージ・ワシントンは44歳，トーマス・ジェファーソンは33歳，フランクリンはすでに70歳になっていた。

　戦争は数年にわたるが，苦戦する独立軍は諸外国の支援を取りつけるためフランクリンをフランスに派遣した。フランクリンは巧みな外交手腕を発揮し，フランスの軍事支援を確保。これによって形勢は逆転し，ついに独立軍は勝利を収めた。1781年のことである。

　こうしてアメリカは植民地支配から解放されたのですが，この戦争でフランクリンは辛い思いをしました。
　凧上げの実験を手伝った息子のウィリアムが，政治思想の違いからイギリス側についたため，親子で敵味方に別れて戦うことになったからです。戦争後ウィリアムはイギリスに逃れ，生涯フランクリンと顔を合わせることはありませんでした。

　フランクリンは戦争が終わっても長い間フランスにとどまり，科学への好奇心を燃やしていた。レンズの性質に興味をもてば遠近両用メガネを考案し，モンゴルフィエ兄弟が気球を発明すれば大空への思いを巡らせていた。

　1788年，フランクリンはすべての公職から解放され，フィラデルフィアの自宅に体を休めた。翌年には，独立戦争をともに生きたジョージ・ワシントンがアメリカ初代大統領となり，フランスでは世界史を書き換えるフランス革命が勃発した。こうした世界の動きと時代の流れを，フランクリンは自宅で静かに見守っていた。

そして1790年4月17日，ベンジャミン・フランクリンは波乱に富んだ人生に幕を下ろし，眠るように息を引き取った。アメリカの歴史に深く刻み込まれた84年の生涯だった。

あるときは実業家，あるときは科学者，またあるときは独立のために戦う政治家。こうしてみるとフランクリンという人は，実に多くの顔をもった人物ですよね。
彼の行動や書き遺したものを改めて見てみると，一貫したユーモアが輝いていることがわかります。堅苦しい研究一筋の生き方ではなく，実生活に役立つ発明や研究に情熱を注いだところなどが，今でもアメリカ人に愛されている理由かもしれません。嵐の夜に凧をあげて歴史に名を残すなんてこと自体，どこかユーモラスな一面を感じさせますよね。
そこで私も，数あるフランクリンの言葉から次の言葉を噛みしめることにしました。心して肝に銘じたいものです。

「明日なすべきことあらば，今日のうちにせよ」

産業技術総合研究所省エネルギー研究部門

古瀬　充穂

　人類にとって，欠かすことのできない電気。現在では省資源・省エネルギーなど，地球環境に配慮した研究開発が重要視されています。こうした中，究極の省エネルギー技術として注目されているのが超伝導です。

（古瀬先生）「超伝導というのは，ある特定の物質を極めて低い温度まで冷やすと電気抵抗が完全にゼロになるという現象です。電気抵抗がある普通の導線に電気を流すと，電気エネルギーの一部は熱という別のエネルギーの形になり放出されてしまいます（ジュール熱）。ところが超伝導状態を利用すると，電気抵抗が一切ないゼロという状態ですから，エネルギーを無駄なく，損失なく，利用することができるのです」

　超伝導はどのようなものに活用されているのでしょうか？

提供：産業技術総合研究所

図4.5　超伝導を利用した産業機械（磁気式誘導加熱アルミ溶解装置）

（古瀬先生）「電気を流すことによって生じる損失が非常に小さいという特徴から，送電線や発電機，変圧器といったさまざまな電力機器の用途が考えられています。

　超伝導現象を使うと非常に大きな電流を流すことができます。それによって今までにない大きな電磁力を生む電気機械を実現できることが期待されています。

　例えば，超伝導リニアモーターカーや電磁力推進船，産業用機械といった大きな力を必要とする電気機器を，超伝導を使うことによってコンパクトに作ることができます」

　フランクリンの時代から数百年。今や電気エネルギーは人類の財産となりました。こうした研究は今後も新たな広がりを続けていくでしょう。

（古瀬先生）「昔も今も研究者というのは，自然の中で驚異となってるけれども何かわからないものを知ろうとすることが，大きな動機になっていると思うんです。

　例えば宇宙であるとか，原子であるとか，とても大きなものとか，小さなものとか，そういう日常生活では触れられないようなものを，それが何なのかを知ろうとすることは，知的好奇心を満たすためにも重要なことです。さらにそれを人間が利用するための技術を研究することは，人類の発展に貢献することと思います」

📖 読書案内

今日からモノ知りシリーズ
トコトンやさしい電気の本〔第2版〕
山﨑耕造 著，日刊工業新聞社（2018）

フランクリンの実験をはじめとした電気の基礎から，身近な電気機器の仕組み，さらには宇宙の起源から超伝導まで，この1冊で幅広く解説されています。

「ショーやパレードなしに，

　できるだけひそやかに頼む」

蒸気機関の生みの親
ジェームズ・ワット

1736-1819

James Watt

♦ 略 歴 ♦

1736 年	イギリス・スコットランドで生まれる。
1755 年頃	ロンドンに出て計測機器製造の修行，その後帰郷するが開業できずグラスゴー大学構内で開業する。
1763 年	大学から蒸気機関の模型の修理を依頼される。蒸気機関の改良に専念する。
1765 年	ワットの蒸気機関が完成。
1774 年	実業家の招きでバーミンガムへ移り，蒸気機関の実用化試験に成功。
1775 年	ボールトン・ワット商会を設立する。
1800 年	約 500 台の蒸気機関を販売し，事実上引退。
1819 年	83 歳で逝去。

世界を変える発明

「あれは1765年の晴れた休日の午後だった。散歩に出た私はシャーロット街の門からグラスゴー大学の芝生に入り，古い洗濯屋の前を通り過ぎた。歩きながら蒸気機関のことを考えていたがバードハウスまで行ったとき，ふと考えが頭に浮かんだ。もしシリンダーと廃棄した容器を管でつなげば蒸気は管の中に突進し，シリンダーを冷やさなくてもそこで凝縮するだろう。ゴルフハウスより先まで行かないうちに，こうしてすべてのことが私の頭の中に揃ってしまった」

いきなりクライマックスが来たような展開ですが，ワットのこの日のひらめきがその後，世界を変えた偉大な蒸気機関の発明につながったのです。

© Nicolás Pérez

図5.1　ワット式蒸気機関[1]

ワットはこのとき，若干29歳。もちろんこのアイデアがひらめくまでにはたくさんの苦労がありましたし，ひらめきから実際の蒸気機関が作られるまでにも難問が山のようにありました。案外知られていないこの辺の苦労話にも，今回はご注目いただきたいと思います。

産業革命の頃に生まれた少年

　今からおよそ300年前の1736年，ジェームズ・ワットはイギリス・スコットランド地方の港町グリーノックで生まれた。父は船で使う道具や機械の製造販売をし，母は親戚に大学教授をもつ知的な女性だった。ワットは外で遊ぶより，父の仕事場で機械をいじることのほうが好きな子どもだった。子どもの頃の有名なエピソードとして，沸騰したやかんの蓋が動くのを見て蒸気に興味をもったという話も残っている。

　ワットが生まれた頃，初めは静かにやがてはイギリス社会を根本から変えてしまう革命が始まろうとしていた。産業革命である。産業革命とは18世紀に始まった工業生産の革命的発展のことを言う。その初期は第一次産業革命と呼ばれ，主に繊維産業を中心とする軽工業が発展した。機械の導入によってそれまで主に人力に頼っていた生産方式が一変し，農業や商業に変わって工業が産業の中心となり，産業全般が飛躍的進歩を遂げた。

　18歳になるまで機械いじりばかりしていたワットも，そろそろ働かなければなりません。機械作りの仕事をしたいと思ったのですが，当時はギルドという職人組合の制度があって親方の下で何年間か修行した者でなければ仕事に就けなかったのです。そんな修行はしていないのでワットはギルドに入れてもらえず，仕事もありません。
　ところが捨てる神あれば拾う神ありで，母親の親戚に当たるロバート・ディックというグラスゴー大学の教授がロンドンの知り合いに紹介状を書いてくれました。ワットは勇んでロンドンへ旅立ったのです。

　ロンドンに着いたワットは，モーガンという計測機器の製造業者のもとで1年間だけ修行できることになった。普通ならば習得するのに7年はかかる技術をワットは必死の努力の結果，たった1年で身に付けることができた。

さて，勇んで故郷に帰ったワット。早速，修行の成果を生かして計測機器の清掃や修理を行う店を出そうとしましたが，またまたギルドに邪魔されて開店できません。打つ手がなくて途方に暮れるワットに再び拾う神が現れました。今度の神は大物でした。グラスゴー大学で教えているアダム・スミスです。

　近代経済学の父と言われ，『国富論』という本の著者としても知られるアダム・スミスは，ギルドという古い制度を新しい経済の発展を妨害するものとして激しく非難していた。

　ギルドに敵対心をもっていたこともあってスミスは妙案を思いつく。町なかと違って大学の校内は自治権をもっているため，実はギルドの勢力は及ばないのである。そこでワットの腕前を聞いたスミスは，大学の構内に彼の店を出させるという案を出した。こうして大学構内に自分の店をもったことからワットの運命は大きく変わることになる。

蒸気機関との出会い

　その模型がワットのもとに運び込まれたのは開業して７年目，ワットが28歳の頃でした。その頃ワットはいとこのマーガレット・ミラーと結婚して所帯をもっていましたし，店も大学関係者に気に入られて順調でした。
　そんなとき，ある教授から「どうしても動かない。なんとか修理できないか」と持ち込まれた模型。これはニューコメンという人が発明した蒸気機関の模型でした。ワットと蒸気機関との記念すべき出会いの瞬間といっていいでしょう。

　「蒸気を動力として使う」という発想は以前からあったものだが，実際に使用できる形になったのはイギリス人，トーマス・ニューコメンが1712年に開発したニューコメン型蒸気機関が最初である。

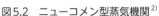

© Kinkreet

図5.2　ニューコメン型蒸気機関[2]

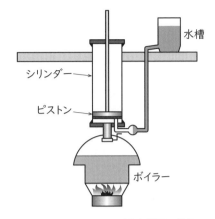

図5.3　ニューコメン型蒸気機関の仕組み

　進行しつつある産業革命は，燃料として大量の石炭も必要とした。炭鉱では地表近くはすでに掘り尽くし，坑道は地底深く掘り下げられたが，このとき発生する湧き水をどうやって汲み出すかが大問題だった。ニューコメンの蒸気機関は期待されて登場したが，性能も経済性もまったく不十分なものだった。

　ニューコメン型蒸気機関の仕組みは，図5.3のとおりである。

　まずボイラーで水を沸騰させ作った蒸気をシリンダーに送り込むと，蒸気の力でピストンが押し上げられる。次にシリンダーを急速に冷却すると，蒸気の体積が収縮してピストンはシリンダーの底のほうに吸い寄せられる。再び蒸気を送り込むと，ピストンはまた押し上げられる。この繰り返しを行うことでピストンを連続して上下させ，ピストンの先につながったシャフトで坑内の水を汲み出すという仕組みである。

ワットは模型を修理して動かしてみたのですが，ボイラーいっぱいに水を入れ蒸気を起こしてみても，ピストンは数回往復しただけで止まってしまいます。どうやらこの仕組みでは，相当多くの蒸気がないと動かないということがわかりました。「なぜこんなにたくさんの蒸気が必要なのだろうか」ワットは考えました。
ここからがワットのすごいところです。普通の職人だったら，模型の細部に手を入れて何とかしようとするのでしょうが，ワットは違いました。彼はもっと根本にある蒸気の熱と，それが生み出す力の関係を調べ出したのです。
ここで店の常連の一人であり，ワットの良き理解者でもあるジョセフ・ブラック教授が貴重なアドバイスをしてくれました。

　ジョセフ・ブラックは当時，特に「潜熱」の発見で知られている熱に関する研究の第一人者だった。「潜熱」とは，水の中に潜在する熱のことである。水が液体であるのはそれがある量の熱を含んでいるからで，それが水から取り出されると水は氷になってしまう。

　この熱は存在はするが，温度計では検出されないので「潜在する熱」つまり「潜熱」と定義した。蒸気についても同じ現象が起こるとして，ブラックは蒸気にも大量の潜熱が含まれていることを明らかにした。

　また，ブラックはワットにこんな助言をした。

「沸騰した水を水蒸気に変えるだけでも大量の熱が必要なのです。だからせっかく蒸気にしたものをまたすぐに水に戻してしまうなんて，もったいない話ですよ」

（a）水の場合　　　　　　（b）蒸気の場合

図5.4　ジョセフ・ブラックが発見した「潜熱」

この言葉に励まされて，ワットはひたすら研究を続けました。
ニューコメンの蒸気機関では，シリンダーを熱しては冷やし，冷
やしては熱する，その過程で莫大な量の熱が無駄に消費されてい
ました。こうした無駄な消費をなくす方法が見つかれば，蒸気機
関の効率は遥かに良くなるはずです。ワットの頭はフル回転しま
した。そしてある日，とうとうやりました。今回のお話のクライ
マックスとなる大発見です。
冒頭で紹介した1765年のある休日，大学構内を散歩していたと
きの，あのひらめきがここで生まれました。

ワット式蒸気機関の発明

「もし，シリンダーと排気した容器を管でつなげば，蒸気は管の中に突進し，シ
リンダーを冷やさなくてもそこで凝縮するだろう」

つまり，熱したままのシリンダーと，冷やしたままのシリンダー。
2つのシリンダーを作れば良いということにワットは気がつきま
した。この日のアイデアをもとに，さらに改良を加えて，ついに
ワットの蒸気機関が完成したのです。

　ワットの蒸気機関は，シリンダーを2つもっていることが特徴である。

　本体シリンダーに蒸気が送り込まれ，ピストンを押し上げる。その蒸気は冷た
いままの分離凝縮器に移動し，ピストンを押し下げる。ここで蒸気は冷やされて，
急激に体積を失い真空に近い状態を作り出す。すると大気の圧力で分離凝縮器の
ピストンが押し上げられる。この繰り返しによってピストンは連続して上下運動
を行うのである。第2のシリンダー，つまり分離凝縮器を付けることで本体シリ
ンダーを常に高温の状態に保ち，熱の無駄遣いをなくしたことは画期的なことだっ
た。ワットの蒸気機関はニューコメンのものと比べてはるかに効率が上がり，使
いやすく壊れにくくなった。

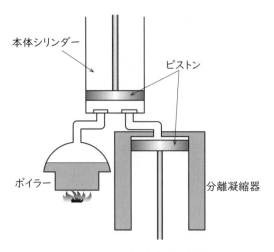

図5.5　ワット式蒸気機関の仕組み

ワットはその後，ピストンの速さを自動的に制御する装置や往復運動の回数を数える装置，さらには上下に動くピストンの力を回転する力に変える装置など次々に改良を加えていくが，すべてはこの日のアイデアが出発点だった。

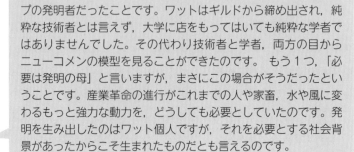

ここで大事なことが2つあります。1つは，ワットが新しいタイプの発明者だったことです。ワットはギルドから締め出され，純粋な技術者とは言えず，大学に店をもってはいても純粋な学者ではありませんでした。その代わり技術者と学者，両方の目からニューコメンの模型を見ることができたのです。もう1つ，「必要は発明の母」と言いますが，まさにこの場合がそうだったということです。産業革命の進行がこれまでの人や家畜，水や風に変わるもっと強力な動力を，どうしても必要としていたのです。発明を生み出したのはワット個人ですが，それを必要とする社会背景があったからこそ生まれたものだとも言えるのです。

苦難の日々

歴史的な発明をしたワット。その後は，平穏で満ち足りた人生を送ったとも言えず，彼の人生はそんなに甘いものではなかった。さらなる苦難がワットを待ち受けていたのである。

蒸気機関の模型は動いたが，実用できるものを作るには費用も技術も必要だった。実験や研究にかかる費用はブラック教授からの借金によってまかなっていたが，それも限界に達した。ブラック教授の紹介で，さらに鉄工所の経営者ローバックにも助けを借りるが，なかなかうまくいかない。生活費と借金返済のためにとうとうワットは運河の測量技師になった。

逆境にあるワットに，さらに不幸が追い打ちをかける。援助してくれていたローバックが破産。続いて最愛の妻を亡くしてしまう。重病の知らせを受けてワットは測量の現地から急遽戻ったが，グラスゴーに着く前に妻は息を引き取った。一向に進まない蒸気機関の開発，支援者の破産，最愛の妻の死。三重苦に打ちのめされたワットだったが，ここから不屈の闘志で立ち上がることになる。

1774年3月，38歳のワットは，以前声をかけてくれた実業家の招きを受けることを決め，思い出深いグラスゴーに別れを告げると産業革命第1の中心地バーミンガムに旅立った。

バーミンガムはイングランド中央部の都市，産業革命によって急速な発展を遂げ，金属工業を中心に大規模工業生産が展開されていた。

ワットを招いたのは，マシュー・ボールトンという実業家。彼はワットがもっていない多くのものをもっていました。蒸気機関を作るのに必要な資金と，工場と，優秀な職人たち。彼の工場は，初めての本格的な大工場として世界的に有名でした。この工場は，川の淵に建てられ，川の水を使った水車で機械を動かしていましたが，真夏など川の水が不足したときには水車が回らなくなります。そこでボールトンが考えたのは，ワットの蒸気機関を使って工場の機械を動かすということでした。こうしてワットとボールトンは出会い，生涯，変わらぬ強い絆で結ばれました。

第1号蒸気機関完成

ワットがバーミンガムに移住してから，事がトントン拍子に進みます。なんとその年のうちに，早くも蒸気機関の第1号機が完成してしまうのです。このときワットは38歳。ニューコメンの模型をもとに新しい蒸気機関を構想してから，およそ10年の歳月が流れていました。

1775年，ボールトン・ワット商会が設立されました。初めて炭鉱にワット式蒸気機関が登場し，その性能の素晴らしさが世に知れ渡りました。注文が殺到し，ワットの蒸気機関は世界制覇の第一歩を踏み出したのです。

　特許が切れる1800年までに，ボールトン・ワット商会は約500台の蒸気機関を販売した。ワットは十分な資産を手にしてこの年，事実上引退した。事業は最愛の妻が残した子どもの一人が継ぐことになった。

やがて蒸気汽船が生まれ，蒸気機関車が走り出します。イギリスは世界の工場と呼ばれ繁栄を謳歌し，ほかの諸国が一斉にその後を追いました。これほど1つの発明が世界のありようを変えた例は，歴史上そう多くはありません。

　晩年のワットはバーミンガムの郊外で穏やかな生活を送った。自宅の屋根裏部屋に実験室を作り，毎日そこで過ごすのを何より楽しみにしていた。ワットが最後に取り組んでいたのは，彫刻を複製する機械を発明することだったという。

　1819年，夏も終わろうとする頃，家族や友人に見守られながらワットは83年の生涯を静かに閉じた。

ワットが本当に望んだのは何だったのでしょうか。少なくとも，名声や金銭的報酬には執着を見せませんでした。あの小さな模型と取り組んで，誰も見つけていなかった蒸気の秘密を発見し，新しい蒸気機関の夢を思い描いたとき，ワットはもう望むものを手に入れたと言えるのではないでしょうか。ワットはその死後，国民的英雄とされ，ウエストミンスター寺院には大きな銅像が飾られました。躍進する資本主義経済の象徴とされ，花形スターとしてまつられました。しかしワットにとって，それはどれほどの意味があったのでしょうか。

ワットの遺言には，自分の葬式についてのこのような言葉がありました。

「ショーやパレードなしに，できるだけひそやかに頼む」

エピローグ *Epilogue* 　 🦋 熱機関と環境問題 🦋

東京電機大学工学部機械工学科

教授　山田　裕之

　熱機関の性能は出力の大きさ，効率の良さ，耐久性，コストで評価され，これらの要素について性能向上のための技術開発が進められてきました。しかし，熱機関がさまざまな場所，分野で普及していくと新たな問題が発生しました。それは熱機関から排出される排気ガス（ガス状でないものも排出されますが，ここではそれらを含めて排気ガスと言います）です。この排気ガス中に含まれる有害物質は人々の健康に悪影響を及ぼし，20世紀には社会問題になっていきました。世界的にはイギリスのロンドン，アメリカのロサンゼルスでの健康被害が有名で，日本でも1970年に東京杉並区のグラウンドで体育の授業中の生徒が体調不良を訴えた報道は，当時の社会に大きな影響を与えました。これらの出来事がきっか

けとなり，熱機関の開発において，排気ガス中の有害物質の排出量削減という新たな開発目標ができ上がり，現在もこの有害排出物質の低減に多くの努力が割かれています。

　自動車においてはエンジンからの排気ガスに含まれる有害な窒素酸化物，粒子状物質はエンジンでの燃焼方法の改善により低減されてきました。しかし自動車の台数増加に伴い，より厳しい排出削減が求められるようになりました。その結果，燃焼方法の改善により有害物質の排出量を減らす，という対応だけでは追いつかなくなり，現在はディーゼルパーティキュレートフィルタ（DPF）や尿素SCRシステムといった有害物質を捕集したり，無害化したりする装置を自動車に搭載し排気ガスを浄化しています。もちろんこれらの装置を搭載することにより，自動車のコストは上がり燃費も悪くなっています。つまり今，社会に求められている自動車は，多少の燃費，コストを犠牲にしてでも空気を汚さないものなのです（もちろん燃費，コストなどは現在も重要な開発指標ですが）。

　我々の研究室ではこのような自動車を取り巻く環境の中で，自動車の排気ガス中の粒子状物質を取り除くDPFの性能評価，および評価手法の開発について，実際の自動車を用いて研究をしています。研究には実際の走行状態を模擬できるシャーシダイナモという装置を用い，自動車排気ガス中の粒子状物質を $10\,\mathrm{nm}\,(10^{-8}\,\mathrm{m})$ の大きさの粒子まで測ることのできる装置で評価を行っています。

　また，自動車を取り巻く新たな環境問題としては，前述のように自動車排出ガ

図5.6　シャーシダイナモでの排出ガス試験

スについて低減対策がとられた結果，排出ガス以外から排出される有害物質の影響が近年注目されるようになりました。その中のひとつがブレーキからの粒子排出で，現在国連で世界的に議論されています。そこで自動車のブレーキを模擬する装置を作り，その排出実態についても研究を行っています。

　排気ガス以外の自動車に起因する有害物質として，給油時蒸発ガスがあります。これはガソリン車に給油を行う際に，タンクに残っているガソリン蒸気が大気に出ていくことです。ガソリン蒸気は揮発性有機化合物（VOC）の一種で，光化学スモッグの原因物質のひとつです。かつては自動車からのVOC排出は排気ガスが大半でしたが，現在はこの給油時蒸発ガスの割合が最も高くなっています。そのため現在環境省では燃料蒸発ガスの大気への排出を防止する装置を備えたガソ

図5.7　ブレーキ発生粒子評価装置

図5.8　燃料蒸発ガス評価装置

リンスタンド，大気環境配慮型SS（e→AS，イーアス）の普及活動を行っています。我々の開発した燃料蒸発ガスを評価する装置は，このe→ASの評価にも採用されています。

　最後に，日本を含め世界的に2050年までにCO_2の排出をゼロにするという目標が提示されており，自動車は内燃機関から電気自動車へのシフトが加速していくと思われます。このようなエネルギーシフトが大気環境にどのような影響を与えるか，という点についての研究も行っています。排気ガスを出さない車が増えるのだから大気はきれいになるだろうと思われがちですが，結果を見ると都市部で光化学スモッグの原因物質である光化学オキシダントが増加するという結果になりました。このことからCO_2排出をゼロにした社会でも，大気環境を改善する努力は引き続き必要になると思われます。具体的には，内燃機関が残ると予想されているトラックの排気ガス，電気自動車になってもなくならないブレーキやタイヤから発生する粒子，家庭などで行われている調理，野焼きの排気ガス等についての対策を行っていく必要があると思われます。

読書案内

はじめての大気環境化学

松本 淳 著，コロナ社（2015）

大気環境の問題は化学に属する問題ですが，その化学の中でさまざまな分野にまたがる問題です。そのため大気化学に関する専門書を理解するためには幅広い化学の知識が必要で，初心者には敷居が高い印象です。しかしこの本では，大気環境を考えるうえで必要な基礎知識から専門的な内容まで丁寧に解説されており，非常に優れた入門書です。当研究室の講義でも使っています。

「私を支えているのは，
　自然界が再び緑になるとき，
　新しい生命が私の心の中に
　芽生えてくるという
　希望だけである」

「オームの法則」を発見した物理学者

ゲオルク・ジーモン・オーム

1789-1854

Georg Simon Ohm

♟ 略 歴 ♟

1789 年	ドイツで錠前職人の家に生まれる。
1805 年	地元の大学へ入学するも，遊びすぎて大学を辞める。
1811 年	大学に復学し，弟に続いて博士号を取得。
1817 年	ケルン高校に数学，物理の教師として赴任。充実した実験設備で研究活動を開始。
1827 年	「オームの法則」を発表。哲学教授ヘーゲルの一派に徹底的に批判される。
1833 年	ベルリンを離れ，ニュルンベルク工業学校へ。
1841 年	イギリスの学会から賞を受け絶賛される。
1852 年	ミュンヘン大学教授になるが，孤独な晩年を送る。
1854 年	65 歳で逝去。

電気抵抗の法則を発見

　1826年秋，ベルリン郊外。数学教師オームは，居候先である弟の家で複雑な計算式と格闘していた。

「見えてきたぞ。何かが見えてきたぞ」

　夢中になって計算するオームは，弟のマルティンが部屋に入ってきたのも気がつかなかった。

「兄さん，そんなに根を詰めると体に毒ですよ。妻が食事の準備ができたと言ってます」

「おお，マルティンか。今，実験の記録を整理しているんだが，電気の量と電気を伝える導体の間に何か特別な関係がありそうなんだ。もしそうならこれはちょっとした発見だぞ」

「兄さん。頭のいい兄さんだからきっと大発見をしようとしているのかもしれませんね。でも，今は妻の言うことを聞いて食事にしてください。でないと明日からもう食事の支度をしてもらえませんよ」

「そうかそれはまずい。お前の奥さんを怒らせちゃ大変だからな」

　オームは机の上の計算用紙にもう一度目をやり立ち上がった。弟について部屋を出て行くとき，もう一度振り返り机の上を見た。

　この数か月後，オームは電気回路を巡る偉大な発見へとたどり着く。その発見は「オームの法則」として知られている。オームこのとき36歳だった。

　「オームの法則」といえば，みなさんも学校で習ったはずです。電気抵抗を表すオームは，電圧を表すボルト，電流を表すアンペアなどと並んで最もよく知られている電気の単位と言っていいでしょう。ところで，名前の由来となったオームという人がどんな人物だったのか，どんな風にしてこの大発見に至ったのかということについては一般にはよく知られていません。そこで今回はオームの法則の生みの親，ゲオルク・オームに光を当てます。

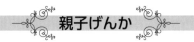

親子げんか

ゲオルク・オームは1789年3月16日，ドイツのバイエルン地方エアランゲンで生まれた。父親は錠前作りの職人で7人の子どもが生まれた。しかし成長したのは長男のゲオルク，3つ下の弟のマルティン，妹のエリザベータの3人だけだった。

この父親，少し変わっていました。仕事は錠前作りなのですが数学と哲学が大好きで，どんな犠牲を払ってでも息子の1人は学者に育てようと固い決意をもっていたのです。

貧しさのためオームは10歳のときに小学校を辞め，以後父親がオームを教育した。同じく学校に行けない弟にはオームが勉強を教えた。弟のマルティンは兄以上に賢い子どもだった。

その後オームはアルバイトをしながら，なんとか地元の大学に入ることができました。ですが事態はとんでもないことになります。

大学に入れたことですっかり安心したオームは，勉強よりビリヤードなどの遊びにほとんどの時間を費やした。当然お金と時間は浪費され，ついには父親の堪忍袋の緒が切れた。

「最近のお前は我慢がならん。いったい何のために大学に行ってるんだ。勉強するためではなかったのか」

「僕は授業もちゃんと出てますし，アルバイトでお金も稼いでるじゃないですか。父さんにあれこれ言われたくないですね」

「そ，それが親に対する返事か。この親不孝者！」

❧ 研究の道へ ❧

とうとう2人は口も利かなくなり，オームはしばらくしてスイスで学校教師の仕事が見つかったため，これ幸いと大学を辞めスイスに旅立ちます。まだ17歳のときでした。
この頃のオームの勉強は数学が中心で，電気に関する勉強はほとんどしていません。しかし彼が故郷にいた頃，電気の世界では革命的な大事件が起きていたのです。

　1801年，破竹の勢いでヨーロッパを制覇しつつあったナポレオンの見守る前で，1人の男が流れる電気を作り出す実験をしていた。男の名はアレッサンドロ・ボルタというイタリア人だった。

　当時，電気の研究はイタリアのボローニャ大学の教授ルイジ・ガルバーニが，動物の体内で電気が発生する「動物電気」という説を唱えていたが，ボルタはこれに疑問を抱いていた。その後，ボルタは自分なりの研究を進めた結果，異なった2種類の金属を接触させることによって電気が生じることを発見したのである。

　彼は，銅と亜鉛の金属板の間に塩水を染み込ませた布を挟んで電気が発生する装置を作った。これが「ボルタの電堆」と呼ばれる装置で，現在の電池の原型である。連続して流れる電気を作り出せる「電池」の登場は，それまで静電気しか知らなかった電気の世界を一変させた。ナポレオンはボルタを絶賛したが，ナポレオンの予想をはるかに超えて電池はその後，科学技術の発展に欠かせないものになっていく。だが若いオームはそんな大事件のことなどまるで知らなかったのである。

© Rama

図6.1　ボルタの電堆[1]

赴任した先はなにしろ民家が3軒。あとは牧師館と古いお城しかないという辺鄙なスイスの田舎町。教える相手も20人ほどの幼い子どもばかりですから，未来の大学者が満足できるはずがありません。そのため22歳になったとき，故郷に戻ります。

1811年は父親にとって嬉しい年になった。弟のマルティンが博士号を取得したのに続きオームも博士号を取り，険悪な仲だった父親と和解したのである。生活は相変わらず貧しかったが，2人の博士を息子にもって父親は鼻高々だった。

兄と弟は協力して地元で学習塾を開くが，思うように生徒が集まらなかった。やむなくオームは収入を求めて，故郷に比較的近いバンベルクの実業高校に数学教師として就職した。

しかしこの学校では待遇も学校当局との折り合いも悪く，うつうつとした毎日だった。挙句の果てにその学校は経営方針が変わりフランス語を教える学校になってしまったため，オームは再び数学教師としての職を失った。

散々なバンベルクでの教員生活だったのですが，この経験はかえってオームには良かったのかもしれません。それまで彼は，教員の道を進むのか研究者の道を取るのか迷っていたのですが，このバンベルク以降は研究者の道を進もうという気持ちが俄然強くなったのです。

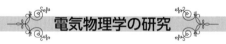

電気物理学の研究

1817年，オームが28歳のときケルン高校から誘いがあり数学と物理の教師として赴任した。学校には大学も顔負けの実験器具が多数あり，研究のための設備が充実していたからである。このケルン時代から電気物理学者としてのオームの活躍が始まった。

ところで，ボルタの電池によって新時代に入ったはずの電気の世界でしたが，どう変化していたのでしょうか？　意外なことにボルタ以来約20年間，目立った発明・発見は行われていません。それが1つの発見をきっかけに，電気の世界は大発見の嵐に突入したのです。そのきっかけとなった発見とは…？

　デンマークのコペンハーゲン大学教授ハンス・エールステッドは，ある日学生たちの前で電流の実験をしていた。このとき電気の流れる針金の側にたまたま置いてあった磁石の針が，なぜかひとりでに振れるのを学生が見つけエールステッドに報告した。それはまさに電流が磁気を生むことが発見された瞬間だった。エールステッドは1820年，この現象についてリポートをまとめ，学会はにわかに活気づいた。フランスのパリ工業大学の教授アンドリー・アンペールはエールステッドの報告をもとに実験を重ね，電流が磁石の針に及ぼす作用について電気力学的な原則を発表した。今日，「アンペールの法則」として知られているものである。

　電流計の登場によって電流の量も測れるようになった。金属線に磁針を付けて導線の上に吊り上げる。導線に電流が流れると磁界が発生するため磁針が回転する。その回った角度で電流の大きさがわかる。この電流計には，皮肉なことにボルタの金属電気説に敗れた動物電気説のガルバーニの名前から「ガルバノメーター」

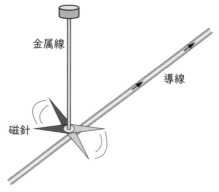

金属線

導線

磁針

図6.2　ガルバノメーター　導線に電流が流れると磁針が回転する

という名がつけられた。1820年代に入ってにわかに活気づいた電気物理学の分野に，オームも大きな刺激を受け研究を始めた。オームは興奮した様子で父親に手紙を書き綴っている。

「実験室で，私は何者かに取り憑かれたように無我夢中になり，次々に新しい知識を広めています。今，私の一番の注意を引いているのは作ったばかりの実験装置です。これが電気のどんな秘密を明らかにしてくれるのか，私はドキドキしています」

装置を作るには，オームが錠前職人の息子だったことが役に立った。金属にヤスリをかけたり，穴を開けたり，切断したりとオームは実に器用だった。

「やはりあいつは私の血を引いている」

報告を聞くたびに父親は大喜びした。

オームの関心は電気回路の解明に向けられた。水が細い管の中を流れるとき抵抗を受けるように，電気が導体の中を流れるとき，やはり抵抗を受けるに違いない。そのとき電流と導体の関係はどうなるのか——それがオームのテーマだった。

オームはまず，いろいろな種類の金属を使って同じ太さの針金を作り電気の伝わり方を調べました。その次は，同じ材料で太さや長さの違う針金を作り実験を繰り返したのです。ですがここで困った問題が生じ，友人に助言を求めました。

「実験にボルタの電池を使っているんだが，電圧が一定しないため測るたびに結果が違ってしまうんだ。何かいい方法はないかな」

「そういえば熱電池というやつを聞いたことあるかい？　金属の両端の温度を固定すれば安定した電圧が保てるそうだ。一度試してみたらどうだ」

早速オームは，熱電池を利用した新しい実験装置を作り上げた。この装置によって次々と正確な数値が入手できたのである。大発見まで秒読みと言える段階だったが，その頃オームは学校の授業も忙しく，思うように研究を進められない苛立ちがあった。

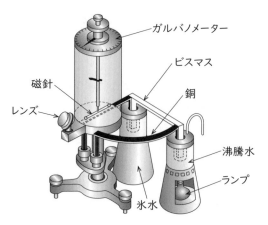

図6.3　オームの実験装置

そんなある日，オームにとって大切な存在だった父親が亡くなりました。葬儀で故郷に戻ったオームは，久しぶりに弟のマルティンと対面します。マルティンはそのとき，ベルリンの陸軍大学で数学を教える教授になっていました。

「兄さん，研究のほうは進んでる？」

「学校の授業や雑務が多くて研究に集中できないんだ。あともう少しなんだが」

「それは良くないなあ。そうだ，兄さん。ベルリンの僕の家においでよ。研究に専念できるよ。妻もきっと大歓迎だ」

「オームの法則」を発表

　こうして1826年秋，オームはケルンの学校から1年間の休暇を取り，ベルリンの弟の家に居候して研究に没頭した。そしてついに翌年の5月，「オームの法則」を人々の前に発表したのである。

　オームの法則とは「電流の強さは電圧に比例し，抵抗に反比例する」というもので，図6.4のような公式で表される。抵抗の単位にオームの名が採用されたのは

$$E\,(\mathrm{V}) = R\,(\Omega) \times I\,(\mathrm{A})$$

電流の強さは電圧に比例し
抵抗に反比例する

電圧 抵抗 電流

図6.4 オームの法則

20世紀に入ってからのことである。

オームによって抵抗の概念が確立されたことで，電気学は一気に前進します。やがてファラデーが電磁誘導を発見し，マクスウェルが電磁気学を集大成するのですが，その突破口を開いたのは間違いなく「オームの法則」だったと言っていいでしょう。
オームが見つけた法則は，まもなく世間に発表されました。果たしてオームは世間に認められ一躍脚光を浴びるということになったのでしょうか。

　1827年，オームは自分の研究を『電気回路の数学的研究』という著書で発表した。自信満々のオームだったが反響は最悪だった。当時のドイツ学会を支配していたベルリン大学哲学教授ヘーゲルの一派が，オームの発見をまったく価値のない研究と徹底的に批判したのである。

　いくらオームが自説の正しさを確信していても，有名大学の教授たちには勝てなかった。大学の研究室に就職しようにも，ヘーゲル教授一派に睨まれている学者ということでどの大学も採用を見送ったのである。失望と焦りがとうとうベルリンを去る決心をさせ，オームはニュルンベルクの工業学校へ行くことにした。「私は電気の研究をもっと続けたい。しかし普通の学校教師に戻ったらもう研究生活はできなくなる。かといって，このままベルリンにとどまることはできない。私を認めようとしないベルリンなんかに…」

正当な評価を受け始める

　研究者への道を断念したオームの胸中は複雑だったが，ニュルンベルク工業学校は彼を温かく迎えてくれた。校長はオームの学識と人柄を尊敬し，彼に校長になってくれるよう懇願した。オームも快く引き受け，1839年に正式にニュルンベルク工業学校の校長になった。

　オームに嬉しいニュースが届きました。イギリスの学会ロイヤルソサエティがオームの研究の素晴らしさを称える賞，コプリ・メダルを贈ったのです。皮肉にも祖国では認められなかったオームが外国で認められたのです。研究を発表してから15年の歳月が経っていました。

　60歳を過ぎたオームに，ミュンヘン大学から教授として招きたいとの打診があった。大学教授のポストはオームが長年にわたって願っていたものだった。迷った末，オームはミュンヘンに行くことに決めた。だがこの選択は正しかったのだろうか。

「ここミュンヘンでは私は孤独な異邦人だ。どうしても親しみがわかない。目を輝かせて私の講義を聴く学生は私に喜びを与えてくれる。だが研究者としての私の夢はもう終わってしまったのだ」

　大学教授という肩書きこそあれ，オームの晩年は寂しい独り暮らしの老人でした。彼は決して独身主義者ではなかったのですが，とうとう女性とは縁がありませんでした。貧しさと戦い，学会と戦い，研究のために休む間もなく戦ったオームには，温かい家庭をもてる余裕はなかったのです。

　大学での講義を終えた後，街に出て静かにビールを飲むのが楽しみだったオームは，愛弟子との会話中に突然脳卒中の発作に見舞われ1854年7月6日，帰らぬ人となった。65年の生涯だった。

「オームの法則」という専門用語が誕生した背景には，こんなドラマが隠されていたのですね。生前にはほとんど認められず，最晩年そして亡くなった後に賞賛の嵐に包まれても，本人にとっては決して嬉しいことではなかったのでしょう。深い絶望を見てしまった人間の叫びには，人生の重たさが刻印されています。オームは亡くなる直前このような言葉を残しました。

「私を支えているのは，自然界が再び緑になるとき，新しい生命が私の心の中に芽生えてくるという希望だけである。私は恐ろしく老けたような気がする。ああ，世界中が病気なのだろうか」

電気抵抗ゼロのふしぎ「超伝導」

産業技術総合研究所省エネルギー研究部門
古瀬　充穂

オームによって発見された電気抵抗の法則。彼の研究は現在，超伝導技術に活かされています。超伝導とはある種の物質を特定の温度以下まで冷やすことによって電気抵抗がなくなる現象です。

（古瀬先生）「液体窒素は約 −196℃のとても冷たい液体です。ここに電池と豆電球がつながっている回路があります（図6.5）。豆電球と電池の間に銅で巻いたコイルが付いています。スイッチを入れると豆電球は淡く光ります。ではコイルを液体窒素の中に入れて冷やすとどうなるか。明るくなりますね。金属の電気抵抗は，低温になるほど小さくなります。液体窒素につけたコイルの電気抵抗が小さくなったことによって豆電球の明るさが増したんです（図6.6）」

図6.5　電池と豆電球につながった
　　　　コイルを液体窒素で冷やす

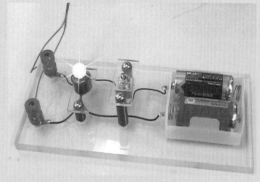

図6.6　コイルを液体窒素で冷やすと
　　　　豆電球が明るく光る

ある種の物質の温度を極限まで低くすると，電子が対を作り一緒になって動くようになります。これによって電気抵抗がなくなり，エネルギー損失がなくなります。

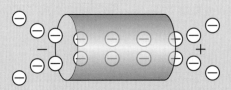

図6.7　電気抵抗がゼロの状態

（古瀬先生）「ある特殊な超伝導体と呼ばれる物質だけが，低温になると電気抵抗
　が完全にゼロになります。この現象を超伝導現象*と呼んでいます」

　　　　古瀬先生の研究室では超伝導体と呼ばれる物質を使った送電ケーブルの
　　　　開発を進めています。

（古瀬先生）「図6.8の右は，電力を送電するために現在使われている超高圧送電ケー
　ブルです。左は超伝導体を使った超伝導送電ケーブルです。この超伝導送電ケー
　ブル1本分で，超高圧送電ケーブル約6本分の電力を送電することができます。
　超伝導体を冷やして超伝導状態にするために，断熱管の中に液体窒素を流します」

　　　　送電時のエネルギーロスが小さいことに加え，従来のものと比べ大きさ
　　　　もコンパクトなため地下にケーブルを設置する際，空間を有効利用でき

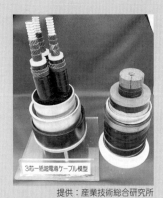

提供：産業技術総合研究所

図6.8　超伝導送電ケーブル（左）と
　　　　超高圧送電ケーブル（右）

275 kV
現用（CV）ケーブル

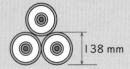

138 mm

130 mm

66-77 kV
超伝導ケーブル

図6.9　ケーブルの断面図

───────────

*正確には電気抵抗が完全にゼロ，内部の磁束密度が完全にゼロになる物質を超伝導体と言い
　ます。

るのも超伝導ケーブルの特徴です。超伝導の研究は電力事情を改善する技術とし
て期待されています。

(古瀬先生)「金属に電流を流すと電気抵抗により発熱し,エネルギーの一部が熱
に変わって失われてしまいます。超伝導を使うと電気抵抗がゼロになるので,
発熱も0になります。ですから送電ケーブルに超伝導を使えば電力損失を極め
て小さくすることができ,発電した電気を有効に逃さず需要地に運ぶことがで
きるのです」

新しい超伝導入門 実用化される,世界最高の日本の技術（電子版のみ）

山路達也 著,PHP研究所(2013)

超伝導の原理・歴史から,超伝導を使った電気機器の開発まで,
サイエンスライターが専門家の取材を通じてわかりやすく解
説する読み物です。

「私は最後まで，
ただのマイケル・ファラデーで
いたい」

電気学の父
マイケル・ファラデー
1791-1867
Michael Faraday

🎖 略 歴 🎖

1791 年	ロンドン近郊に鍛冶工の子として生まれる。
1813 年	王立研究所のハンフリー・デイビーの講演を聴き感動。デイビーの助手として王立研究所に就職する。
1831 年	8 月 29 日，電磁誘導を発見。後にこの日は「電気工業の始まりの日」と呼ばれる。
1833 年	王立研究所の教授となるが，質素な生活を続ける。
1867 年	76 歳で逝去。

電気学の発展

　ロンドンの中心部，ピカデリー広場の一角にイギリス王立研究所がある。マイケル・ファラデーは生涯の大部分をこの研究所で過ごした。玄関ホールには，左手に電磁誘導管をもったファラデーの立像。そして地下には彼が使った実験室が，ほとんど当時の有様そのままに保存されている。イギリス人のファラデーへの敬愛の念は，今も一向に衰えることはない。

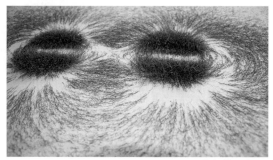

© Jacki.mcInnes

図7.1　磁石の力で鉄粉が模様を描く[1]

　図 7.1 は綺麗な模様ですねえ。これはファラデーが行った実験の1つで，磁力線というものを明らかにしたものです。ファラデーは，こうした磁石の力と電気の関係を調べ，電磁誘導という原理を発見しました。これがもとになって現在，家庭でも産業でも，電気で動くさまざまなものが利用できるようになったのです。
　ファラデーの大発見の裏にはどんなドラマがあったのか，早速紹介しましょう。

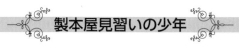

製本屋見習いの少年

　マイケル・ファラデーは1791年, イギリス・ロンドン郊外のニューイントンバッツで生まれた。父は鍛冶職人だったが, 病気がちで仕事が少なく生活は貧しかった。ファラデーは家計を助けるため, 13歳で製本屋に見習い奉公に出された。

　ファラデーが生まれた頃, すでにイギリスは産業革命の真っ只中だった。職を求める人たちが地方から続々と都市に移住し, 都市は膨れ上がっていた。移住してきた人たちは貧しく, ロンドンのあちらこちらにスラム街ができていた。ファラデーの一家は少しはましなところに住んでいたが, やはり苦しい生活を送っていた。

　今も残るこの製本屋で, ファラデーは使い走りから仕事を始めた。主人がとても良い人で, ファラデーの賢さや真面目さに目をかけてくれたため, 店の本をたくさん読むことができた。学校には行けなくとも勉強はしたい, という強い希望をもっていたファラデー。このような環境の中, 科学への興味を次第に深めていった。

　年季奉公の明ける2年ほど前, 19歳になっていたファラデーは, 町のある学者が開いていた自然哲学の講演を聴いた。これは1回1シリングという安いお金で庶民に自宅を開放し科学の話をしてくれる集会で, 読書を通じて科学への興味を深めていたファラデーは熱心に通った。

デイビーとの出会い

　さて, ファラデーの人生の大転換は, その2年後に訪れます。製本屋のお客の一人が, 王立研究所というところで行われている科学講演4回分のチケットをくれました。ファラデーはもちろん大喜びで聴きに行ったのですが, そのとき講演したのが, その後ファラデーにとって運命の人となるハンフリー・デイビーでした。

　ハンフリー・デイビーは, 亜酸化窒素つまり笑気ガスの研究で名を挙げた科学者である。彼は王立研究所で講師を務めたが, その講演は大評判だったという。

デイビーの講演にすっかり感動したファラデーは，思い切ってデイビーに手紙を出した。そのときの気持ちをファラデーはこのように書いている。

「私には，不公正で自己本位と思われる商業の世界から抜け出し，科学の世界に飛び込みたいという願望があった。科学はそれを追求する人々を温厚にし，自由にするように思えた。それでとうとう単刀直入にデイビー卿に自分の願望を伝える手紙を書くことにし，同時にその講演を筆記したノートを送った」

　その1週間後，返事が来ました。そこには「手紙を興味深く読んだ。何か力になれることがあれば幸いである」と書かれていたのです。デイビーは，ファラデーの手紙の熱心さに打たれたんですね。しかも手紙に同封したデイビーの講演を筆記したノートの内容は実に正確で，立派な革表紙を付け製本までしてあったんです。このノートもデイビーの心を揺さぶったきっかけとなりました。さて，ファラデーやデイビーの活躍の舞台となったのは，王立研究所というところでした。王立研究所とはどんなところだったのか，ちょっと説明しましょう。

　王立研究所は1799年，ランフォード伯爵という人物によって設立された。ランフォード伯爵は政治家として活躍したほか，熱の運動説で知られる科学者でもあった。彼は，実験と講演によって一般の人々に科学を広めるために公共の研究所を作ることを提唱した。イギリス国王をはじめ政治家や科学者からも賛同を得た結果設立された王立研究所は，250人もの発起人と600人以上の会員を集めるなど多くの人々の支持を受けた。

　王立研究所にデイビーを採用したのもランフォード伯爵でした。結果的にこれが電気学の父・ファラデーの誕生につながったのですから，その功績は大きかったと言えるでしょう。

　1813年3月，21歳のファラデーは，デイビーの実験助手として憧れの王立研究所に正式に就職した。彼は研究所の屋根裏の二部屋を住まいとして与えられた。

こうして研究所生活の第一歩を踏み出したファラデーでしたが，デイビーはたちまちファラデーの才能に気づきました。デイビーの助手として大変役に立ったのです。

デイビーの助手になって半年後，ファラデーはデイビーのお供をして大陸を旅行しました。フランスではランフォード伯爵と食事をしたり，またイタリアでは電池を発明したボルタと会いました。1年半にわたったこの旅行は，正規の教育を受けていなかったファラデーにとって実に価値のあるものでした。デイビーを通じて，大陸の多くの科学者と知り合えたし，フランス語やイタリア語を覚えることもでき，いよいよ研究への決意も固まりました。当時は，こうして若い科学者は外国を回ることでさまざまなことを学んでいきました。今でいう留学のようなものです。一行がイギリスに戻ったのは，1815年4月のことでした。ここからファラデーの本格的な活動が始まります。

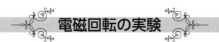

電磁回転の実験

　1800年のボルタによる電池の発明がきっかけで，電気と磁気の関係にまつわるいくつもの発明や発見が生まれた。最初は1820年に発見されたエールステッドの法則。これによって電気が磁気的な作用をすることが発見され，実証された。

電気と磁気というまったく異なる現象が，お互いに深く関係していることが実証されたエールステッドの画期的な発見に触発されて，多くの学者が電気と磁気の関係について研究を始めました。ファラデーもその一人だったというわけです。ファラデーの名前が最初に国際的に知られるようになったのが「電磁回転の実験」でした。

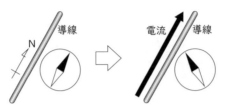

導線に電流を流すと，その近くにある
方位磁石の針が振れる

図7.2　エールステッドの法則

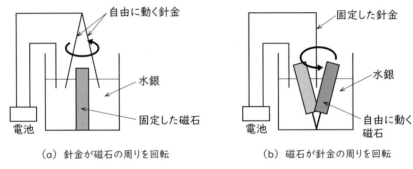

（a）針金が磁石の周りを回転　　　　（b）磁石が針金の周りを回転

図7.3　ファラデーの電磁回転の実験

　ファラデーの名を最初に有名にした「電磁回転の実験」とは，まず電流が流れている針金が，固定された磁石の周りを回転すること（図7.3 (a)）。また，逆に磁石が電流の流れる固定された針金の周りを回転すること（図7.3 (b)）。この2つが，明らかにされた実験である。

　これは現代の電動機，つまりモーターにつながる発見だったが，師匠であるデイビーはこの発見を喜ぶどころか，他人の研究を盗んだのではないかと疑った。どうやらあまりに優秀すぎる弟子に対して，嫉妬の炎が燃え始めてしまったようである。後にデイビーは事実無根であったとファラデーに謝罪したが，このことがきっかけとなって2人の間には亀裂が生まれ，残念ながら仲直りすることはなかった。

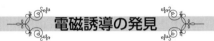

師匠デイビーとの仲違いにもめげず，さらに電気と磁気の関係を深く深く研究し続けてきたファラデー。電磁回転の実験から10年後の1831年，ついにやったのです。今回のお話のクライマックスとなる，あの発見を。

電磁誘導の発見

1831年8月29日，この日は科学者たちの間で「電気工業の始まりの日」と呼ばれている。ファラデーが電磁誘導を発見した日付である。

その日，地下の実験室でファラデーは，コイルを巻いた鉄の輪を使った実験を行っていた。そしてついに電磁誘導を発見することになる。

ファラデーが発見した電磁誘導は2つの原理からなる。1つは，鉄の輪の2か所に導線を巻いてコイルにし，そのうちの1か所に電池から電気を流すと，電気を流すときと切るときに，鉄の輪のもう一方の箇所に巻いてあるコイルに電気が流れるというもので，これは変圧器つまりトランスの原理となったものである（図7.4(a)）。

もう1つは，導線を巻いてコイルを作り，そのコイルの中に棒磁石を入れたり出したりすると，その瞬間だけ導線に電気が流れるというもので，これは発電機，つまりダイナモの原理となった（図7.4(b)）。

ちなみに，現在の発電においては，この動きが素早く繰り返されることで電気

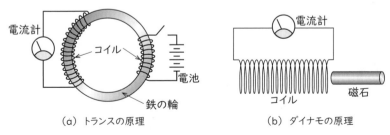

（a）トランスの原理　　　　　（b）ダイナモの原理

図7.4　ファラデーが発見した電磁誘導の法則

が続けて流れるようになっている。このように磁気の変化によって電流が生まれるというのが「電磁誘導の法則」である。

この発見は大変なことでした。例えば、図7.5を見てください。自転車の発電機です。ここにもダイナモの原理が活かされています。つまり人間の足で自転車を漕ぐという、いわば運動のエネルギーから電気を作り出しライトをつけることができるというものですね。まあ、ちょっと漕ぐのが重くなりますけど。

© SanteriViinamäki

図7.5　自転車の発電機もダイナモの原理[2)]

とにかくこうして電気を作り出し、電圧を上げたり下げたりすることで、その電気を遠くの家庭や工場に送ることができるようになったのです。まさに現在の私たちが電気を使えるようになったのもファラデーの発見があってこそ、と言えるのです。もう1つ、先ほど紹介した電磁回転はこれとは逆に電気エネルギーを運動エネルギーに変える、という働きを示しています。この原理を応用したのが現在のモーターです。
ところで、ファラデーの偉大な発見、電磁誘導は当時の人々にはなかなかその凄さは伝わりませんでした。

ある政治家がファラデーに尋ねた。

「で，それがいったい何の役に立つんですか」

　そこで，ファラデーは怒るわけでもなく礼儀正しく，こう答えた。

「20年も経てばあなた方は，電気に税金をかけるようになりましょう」

　そのほかにもファラデーは精力的に研究を行い，磁石と鉄粉の実験をもとに磁力線や磁場の概念を提唱したり，電気分解の法則を発表するなど輝かしい活躍をした。

晩年の穏やかな生活

王立研究所での地位も上がり，ファラデーは1833年には教授になりました。しかし，生活は相変わらず質素そのもの。住まいも屋根裏の二部屋のままでした。なぜここまでファラデーは質素にこだわり続けたのでしょうか？

　ファラデーはキリスト教のサンデマン派という宗派に属していた。この宗派では質素であることが最も尊いとされていた。ファラデーはその教えにとても忠実で，49歳のときには牧師に選ばれたほどである。

ところで，ファラデーが結婚したのは1821年，29歳のときでした。相手は同じキリスト教のサンデマン派に属する友人の妹，サラ・バーナードという女性です。この人が実によくできた人で，科学には興味を示さなかったものの，「私は偉大な精神の休む枕の役割で満足です」と言って，内助の功に徹しました。37年にも及ぶ屋根裏生活にも愚痴ひとつこぼさず夫を支えました。　質素な生活を続けたのは，もちろんファラデー自身が富や高価な生活を望まない人柄だったということもあるのですが，妻のサラの影響も大きかったのです。

ファラデーの性格については王立研究所で後継者となった科学者のチンダルが
こう語っている。

「ファラデーの穏やかな，思いやりのある，愛らしい性格については多くが語ら
れている。しかし，愛らしい優しい性格の下に火山の熱があった。彼は興奮しや
すい火のような性格の男であった。ところが彼は修養がよくできていたためにこ
の炎を一時的な激情として浪費してしまうことなく命の原動力に変えることがで
きたのだ」

　晩年のファラデーは，その功績を称えてヴィクトリア女王が提供してくれたテ
ムズ川上流にあるハンプトンコートの屋敷で妻サラと一緒に過ごした。

　1867年夏，ファラデーは肘掛け椅子に座ったまま，眠るような最期を迎えた。
76年の生涯だった。

　ファラデーの生涯をたどってみると，なぜか清々しい気持ちにな
ります。歴史上，屈指ともいえる発見をしていながら，頑ななま
でに富や権威から遠ざかっていました。死後，残った財産はほと
んどありませんでした。ありあまる名誉を享受しても誰も文句は
言わなかったはずなのに，それをほとんど辞退しています。ファ
ラデーは科学の分野でこの頃，最も権威の高かったイギリス王立
協会から総裁就任を要請されたのですが，それをも断りました。
そのときの言葉を最後に紹介します。この言葉は，きっといつま
でも人々の心に残ることでしょう。

「私は最後まで，ただのマイケル・ファラデーでいたい」

東京電機大学理工学部理学系
教授　向山　義治

　私の研究分野は電気化学ですので，ここでは電気化学に関する話題を紹介したいと思います。ファラデーは電磁気学のみならず電気化学の分野でも多くの功績を残しており，電気化学で用いられる用語にもファラデーの名がついたものがあります。特に「ファラデーの電気分解の法則」と「ファラデー定数」は有名です。ほかにも「ファラデー電流」，「ファラデー効率」，「ファラデーインピーダンス」のように電気化学分野における基本的な用語にも彼の名が使われています。ここから，電気化学の分野におけるファラデーの功績がいかに偉業であるかおわかりでしょう。なお，精緻な電気化学測定をする際には，電磁波によるノイズを抑えるために，「ファラデーケージ」の中に電極や反応容器を置くことをお勧めします。

　電気化学は現代社会における最も重要な分野の1つです。例えば，二次電池（充電をして繰り返し利用できる電池）は携帯デバイスや電気自動車に使われており，私たちの豊かな暮らしには欠かせません。2019年には「リチウムイオン電池の開発」によって吉野彰博士がノーベル化学賞を受賞しています。授与したスウェーデンの王立科学アカデミーは「この軽量で再充電可能なパワフルな電池は現在，携帯電話からラップトップコンピューター，電気自動車までさまざまな製品に使われている」と述べました。また，「この充電式電池は，携帯電話やラップトップといったワイヤレス電子機器の基礎を築いた」とし，「電気自動車から再生可能エネルギーの備蓄まであらゆるものに利用され，化石燃料ゼロの世界を可能としている」と指摘しました。

　しかしながら，この原稿を書いている2021年の時点では化石燃料ゼロの世界はまだ実現されていません。この実現には，電池のさらなる高性能化（軽量化・長寿命化・低コスト化など）が必要で，リチウムイオン電池よりも5倍以上の理論エネルギー密度をもつ次世代二次電池の開発が世界中で進められています。一

方，電池にエネルギーを蓄えるのではなく，水素をエネルギー媒体とする動きも広がっています。「水素社会」というキーワードを聞いたことがあるかもしれません。持続可能な社会を実現するためには，自然エネルギーの中で最も膨大なエネルギー源である太陽光を利用した新技術の創生が必要です。そこで，半導体を利用した「人工光合成」に大きな期待が寄せられています。将来，この水素製造技術の進歩によって化石燃料ゼロの世界が実現するかもしれせん。

　私はこれまで25年間，水の電気分解や燃料電池の電極反応に関する研究を進めてきました。最近では次世代二次電池や半導体を用いた光電極の研究も展開しています。これらの研究のモチベーションはエネルギーや環境の問題を解消することで，研究を通して社会へ貢献することができます。地球環境を守るために，将来を担う中高生のみなさんには電気化学の研究者をぜひとも目指して欲しいと願っています。

読書案内

電気化学　光エネルギー変換の基礎

中戸義禮 著，魚崎浩平・藤平正道 監修，東京化学同人 (2016)

光電気化学の教科書で，この本を読めば「半導体光電極による人工光合成」に精通することができます。ただし入門書ではないので，この本の前に電気化学や半導体の基本を勉強しておくことをお勧めします。著者の中戸先生は私の学生時代の恩師です。当時の研究内容がふんだんに紹介されており，読むたびに学生の頃を思い出します。個人的にも思い入れのある本です。

「科学は，永久に続く
　慣例となっている法則により，
　正当に提供されるどの問題に
　対しても，恐れず立ち向かう
　運命にあります」

「絶対温度」の研究で知られる
ケルヴィン卿（ウィリアム・トムソン）
1824-1907
Load Kelvin (William Thomson)

♛ 略歴 ♛

1824 年	アイルランド・ベルファストに生まれる。
1834 年	10 歳でグラスゴー大学入学，15 歳で熱の伝導に関する論文を書く。
1841 年	17 歳でケンブリッジ大学入学。
1846 年	ケンブリッジ大学卒業後，父の勤めるグラスゴー大学で教授になる。
1852 年	ジェームズ・ジュールと共同で研究し，「ジュール・トムソン効果」を発表する。
1866 年	大西洋を横断する海底ケーブルの敷設に成功。
1892 年	ヴィクトリア女王から男爵の称号を授与され，ケルヴィン卿と名乗る。
1904 年	グラスゴー大学の総長に就任。
1907 年	83 歳で逝去。

ケルヴィン卿の宝物

　時は19世紀，ロンドンの王立協会を1人の若者が訪れた。彼の名はウィリアム・トムソン。ケンブリッジ大学に通う20歳の大学生で，ロンドンに出てきたときは必ずファラデーの実験室を訪ねていた。

　マイケル・ファラデー。電磁誘導の発見によって電磁気学の歴史を塗り替えただけでなく，その誠実な人柄によってイギリス国民の尊敬を得ていた偉大な物理学者である。ファラデーは何にでも好奇心を燃やし，しかも頭の回転が速いこの青年を可愛がった。この日もファラデーはいつものように温かくトムソンを迎えた。トムソンは机の上に無造作に置かれていた石の欠片を手に取り，少し口ごもりながら言った。

「先生，お願いがあるんです」

「なんだね，急に改まって」

「この石，もう必要でないのなら僕にいただけませんか」

　トムソンが手にした石は，昔ファラデーが実験で使ったものだった。光の偏光方向が磁場の効果で回転することをファラデーが証明した研究である。

「もちろん構わないが，そんなものをいったい何に使うんだね」

「僕もいつか先生のような素晴らしい研究をしたいんです。そのための記念として，この石を手元に置いておきたいんです」

　この日ファラデーから貰った石の欠片を，トムソンは宝物として生涯大切にした。この日から約50年後，貴族の称号を受け「ケルヴィン卿」と名乗るようになったトムソンがその栄誉を真っ先に報告したのは，この記念の石に対してだった。

　19世紀中頃のヨーロッパは，熱力学の研究が盛んでした。熱とエネルギーの関係を詳しく調べようという科学者が次々と現れ，ケルヴィンもその1人でした。しかし彼は熱力学だけにとどまらず，さまざまな分野で独創的な才能を発揮した科学者です。今回はこの多彩な天才，ケルヴィンに迫ります。

ウィリアム・トムソン誕生

　後にケルヴィン卿と名乗ることになるウィリアム・トムソンは1824年6月26日，北アイルランドのベルファストで生まれた。母親は彼が6歳のときに亡くなり，その翌年一家はスコットランドのグラスゴーに移住した。父親は数学の教授で，ウィリアムには2歳年上の兄ジェームズがいた。

　　ウィリアムとジェームズは，2人とも父親の血を引いてか非常に頭の良い少年でした。当時は年齢に関係なく入学できる制度があったので，兄は12歳，弟は10歳でグラスゴー大学に入学しました。

　早くに母親を亡くしたせいか2人はいつも助け合い，励まし合っていました。グラスゴー大学のそばにはケルヴィン川という小さな川が流れており，そこは兄弟にとって楽しい遊び場でもあった。
「ウィリアム，お前は大きくなったら何になりたいんだ？」
「とっても偉い学者になりたいな。兄さんは？」
「僕は父さんのような数学者になりたいんだ。よしウィリアム，このケルヴィン川に誓いを立てよう」
　2人はケルヴィン川に手を浸し，自分たちの望みをもう一度大声で叫んだ。大学近くを流れるケルヴィン川は，こうして2人の兄弟にとって神聖な川になったのである。

　　この頃はまだウィリアム・トムソンという名で，ケルヴィン卿と名乗るのはだいぶ先なのですが，科学史ではケルヴィンの名で知られていますから，ここからはそう呼ぶことにしましょう。その後のケルヴィンの天才ぶりは目を見張るばかりでした。

熱伝導の論文を発表

15歳のとき，熱の伝導に関する最初の論文を書き，これがエディンバラ王立協会で高い評価を受けた。当時は10代の少年が講演することは許されなかったため，彼の指導教員が論文を代読する形で発表された。

ケルヴィンは17歳でケンブリッジ大学に入学します。成績はもちろん抜群。大科学者ファラデーにも目をかけられたのは冒頭で紹介したとおりです。彼は勉強ばかりではなく，青春も目一杯満喫したようです。

在学中，ケルヴィンは仲間たちとともにケンブリッジ大学で初めて音楽部を設立し，演奏会を開いた。フレンチホーンの腕前はなかなかのもので，後に大学教授となったとき音響学の講義で自らホーンを吹いてみせ，生徒たちから大喝采を受けたほどである。

1846年，優秀な成績で大学を卒業したケルヴィンは，父親が教授を務めるグラスゴー大学に物理学教授として迎えられた。まだ22歳という若さだった。父親は3年後にグラスゴーを襲ったコレラでこの世を去った。

ジュールとの出会い

教授になった翌年，ケルヴィンは研究の進むべき道を決めることになる重要な人物と出会う。

1847年6月，イギリス学術振興協会で「熱の仕事当量」と呼ばれる実験の報告が行われた。これは一定の仕事をすれば一定の熱量が発生するという相対関係を考察したもので，発表者はジェームズ・ジュールという酒の醸造業者だった。だが学会の反応は冷ややかだった。酒造りの業者が道楽でやっている取るに足らない研究と頭から決めつけてしまったのである。ケルヴィンはジュールの発表を優

れた研究だとすぐに悟った。

「ジュールさん，誰がなんと言おうとあなたの実験は非常に重要です」

「どうもありがとう。あなたのように若く優秀な先生に認められて，本当に嬉しい。ほかの先生たちは，私が素人だというだけでまともに相手にしてくださらないんですよ」

「あなたの実験から，僕はいくつかひらめいたことがあります。ぜひ一緒に研究しましょう！」

　こうして2人は共同で研究を始めた。粘り強い実験家ジュールと，鋭い頭脳の持ち主ケルヴィンのコンビはたちまち成果を見せた。

　1852年，2人は後に「ジュール・トムソン効果」と呼ばれる現象を発表した。これは気体を急激に膨張させると温度変化が生じるという発見で，その後も2人は熱とエネルギーに関する数々の実験を行った。

その頃，ケルヴィンは結婚し家庭をもちました。妻は病気がちで18年後先立ってしまうのですが，それまでの間，妻の看病をしながら温度に関する研究を続けたそうです。
こうした中，ケルヴィンは「絶対温度」という考えにたどり着きます。では絶対温度とはどのようなものなのでしょうか？

「絶対温度」とは

　通常，水の氷点は0℃，沸点は100℃で表される。この「℃」という単位の中にある文字Cはスウェーデンの科学者アンデルス・セルシウスの頭文字を取ったもので，日本語で温度を表す「摂氏」もセルシウスが語源となっている。

　1742年にセルシウスは標準温度計を考案し，1気圧の状態で水が凍りつく氷点を0℃，沸騰する沸点を100℃と決めた。これは水銀の膨張率を利用したもので，氷点から沸点までの水銀の膨張幅を100等分している。ただしこれは線形的な温度目盛とは言い切れない。水銀の膨張率は温度によって異なるので，高温と低温では同じ1目盛でも同じ1℃とは言えないからである。例えば水銀は-38.9℃に

なると凍るため，それ以下に温度が下がっても温度表示は変わらない。では，物質の膨張率に関係なく温度を定義することはできないだろうか。それが絶対温度にたどり着くケルヴィンの考え方だった。

　ケルヴィンがヒントを得たのはジャック・シャルルが発見した法則だった。シャルルは，水素を使った気球を考案して有人飛行を成功させたフランスの物理学者である。彼が考えた「シャルルの法則」は，気体の体積は温度が上がるとともに増加し，温度が下がれば減少するというものだった。このことから温度が1℃下がるごとに気体の体積は0℃のときの273分の1ずつ減少することがわかった。この法則はケルヴィンの研究を発展させる重要な意味をもっていた。

　図8.2は水の分子である。小さいのが水素原子で，大きいのが酸素原子である。

　現在の物理学では，これらの物質を構成する分子や原子の運動が温度として説明されている。同じ H_2O でも，液体と気体では分子の運動エネルギーが異なり，液体に比べて気体の分子のほうが激しく動く。つまり温度の違いは分子や原子の運動エネルギーの違いを表している。

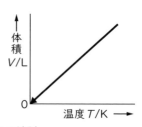

気体の体積は
温度が上がるとともに増加し
温度が下がれば減少する

図8.1　シャルルの法則

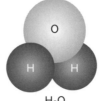

H_2O
（酸素原子 1　水素原子 2）

図8.2　水の分子

　ケルヴィン卿（ウィリアム・トムソン）

ケルヴィンはさらに考えを進め，極低温の世界では気体や液体を構成する分子の運動は限りなく停止した状態に近づいていくという結論を導いた。そして −273.15 ℃[注1]という温度を絶対零度と定めた新しい絶対的な温度の目盛を考え，絶対温度として発表したのである。

現在，絶対温度を表すのに K が使われていますが，これはケルヴィンの頭文字 K を取ったものだったんですね。では K という単位を使うと絶対温度はどのように表されるのでしょうか？

　絶対温度を基準に計算すると，水が凍る約 0 ℃ は絶対温度では約 273.15 K。お湯が沸騰する約 99.974 ℃ は約 373.124 K で表される。これによって物質の特性に左右されることなく，正確に温度を表すことが可能となったのである。

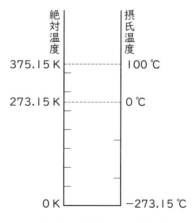

図8.3　絶対温度と摂氏温度

注1：現在の SI（国際単位系）では，摂氏温度 θ/℃ と絶対温度 T/K の関係は，θ/℃ = T/K −273.15 と定義している。

みなさんは，色温度という言葉を聞いたことはありませんか？
これにもケルヴィンという単位が用いられています。色を単位で
表すなんてちょっとピンときませんが，色温度とはいったいどの
ようなものなのでしょう。

　異なる色合いを表す光を客観的に示すために導入された数値が，色温度である。
色温度が低いときは赤く見えて，色温度が高くなるにつれて青白くなっていく。

　太陽の光を例にとると，晴れた日の昼間の太陽光は色温度が高くおよそ6,000 K
である。しかし，夕暮れ時のような赤い太陽の色温度はおよそ3,000 Kである。

ところで，絶対温度の研究に一区切りをつけたケルヴィンでした
が，研究に対する意欲は衰えませんでした。例えばこのような研
究も彼は行っていたのです。

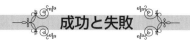

成功と失敗

　ケルヴィンは，電気を利用した通信技術に興味をもっていた。そして1856年，
大西洋に海底電信ケーブルを引くための会社が作られると，その理事に就任し自
らイギリスの軍艦に乗り込んで敷設工事の陣頭指揮をとった。途中でケーブルが
切れてしまう失敗が何度も続いたが，ようやく10年後，大西洋を横断する海底ケー
ブルの設置に成功した。

　1859年，イギリスの生物学者チャールズ・ダーウィンが『種の起源』という本
を出版すると賛否両論が巻き起こった。そして進化論に対する反対の急先鋒だっ
たのがケルヴィンだったのである。

　生物が進化するうえで必要な，無限に近い長い歳月をかけた自然淘汰というダー
ウィンの考えが，ケルヴィンには納得できなかった。

　ケルヴィンは独自の方法によって地球の年齢を計算していたが，ダーウィンの
主張よりも地球はずっと若いと考えていたのである。

最初はドロドロに溶けた岩だった地球が次第に固まり，やがて温めるものがなくなると冷却の一途をたどる。そのプロセスを計算すると，地球の年齢は1億年程度にしかならない。それがケルヴィンが計算で出した答えだった。つまり，地球上に初めて誕生した生命が現在の人間のように進化するには1億年ぐらいでは不可能と考えたのである。

　ケルヴィンは，生物学的なアプローチではなく地球の温度変化という考え方でダーウィンに反論していたようです。論争の答えは，今はもうはっきりしていますね。

　現在ではケルヴィンの計算が間違っていたことが証明されている。地球の年齢が約46億年とされている以上，ダーウィンの主張する「無限に近い長い歳月」が存在していたことは明らかな事実だった。だがケルヴィンが計算違いを犯したのは，当時の科学水準では仕方のないことだった。高い熱をもった地球が冷えていく一方で，地中にある物質が熱を発し地表を温めているという事実は20世紀に入ってから判明したのである。

　ダーウィンとの論争では少し味噌をつけましたが，ケルヴィンの研究意欲は旺盛でした。電気や磁気に関するさまざまな機械を考案し，その使用料や特許料，企業からの顧問料などで，当時の学者としては珍しいぐらい高収入を得ていました。

　ケルヴィンは豪華ヨットを所有し，各地を航海することを趣味にしていた。50歳のとき旅の途中で知り合った女性と再婚し，新しい家庭をもった。
　子どもはいなかったが2人は仲良く晩年を過ごした。22歳で就任して以来，グラスゴー大学の物理学教授を53年間務めたケルヴィンは，その後も数々の論文を発表し学生たちから尊敬を集めた。

―「ケルヴィン卿」誕生―

　1892年，これまで行ってきた数々の功績に対し，ヴィクトリア女王から男爵の称号が授与された。これ以降彼はウィリアム・トムソンからケルヴィン卿と名乗るようになったのである。このとき，ケルヴィン68歳だった。

> ケルヴィンという名は，グラスゴー大学近くを流れる川の名前からとったものでした。兄のジェームズと誓った少年時代の思い出を，彼はずっと忘れなかったんですね。

　穏やかな晩年を過ごしたケルヴィンは，風邪をこじらせ病床に着いた。その1か月後の1907年12月17日，ケルヴィンは静かに息を引き取った。83年の生涯だった。彼の遺体はウエストミンスター寺院にあるニュートンの墓のすぐ傍らに葬られている。

> 大きな困難はなく，比較的恵まれた科学者というのがケルヴィン全体の印象ですね。若いときから優秀さを認められ熱力学の分野で後世に残る仕事を成し遂げた，社会から尊敬され安定した高い収入もあった，こういう境遇になると人は得てして高慢になったり独善的になったりするのですが，ケルヴィンはそうではなかったようです。
> ケルヴィンは，晩年になっても学問に向かう姿勢が謙虚でした。彼の残した次の言葉からその様子が窺えます。

「科学は，永久に続く慣例となっている法則により，正当に提供されるどの問題に対しても，恐れず立ち向かう運命にあります」

東京大学大学院総合文化研究科

教授　久我　隆弘

　ケルヴィンの時代から約150年。絶対温度というものさしを手に入れた近代科学は，宇宙の現在の背景輻射温度が絶対零度に近い3K，太陽の中心温度は超高温の1,500万Kなどということを明らかにしてきました。約300Kの地球上に住む私たち人類は，自分たちが経験できない世界も知ることができるようになりました。そして超高温や極低温実現への挑戦が続いています。高温には限りがない（と思われる）のに対して，低温には絶対零度以下の温度はありません。ですので挑戦にはあたらないと思われがちですが，実は絶対零度には絶対に到達できないことがわかっています。つまりどこまで絶対零度に近づくことができるのかが挑戦なのです。

　太陽エネルギーを生み出しているのは核融合反応ですが，地上で太陽と同じ核融合反応を人工的に起こし強力なエネルギー源にしていこうという研究が量子科学技術研究開発機構で進められています。核融合とは原子核同士が合体する反応のことです。最も核融合反応を起こしやすいのは，水素の一種である重水素と三重水素からヘリウムと中性子ができる反応で，そのとき非常に大きなエネルギーが発生します。この核融合反応を起こさせるためには極めて高い温度が必要で，さまざまな方法が研究されています。

　量子科学技術研究開発機構では，トカマクというプラズマ閉じ込め方式で実験を繰り返し，1996年に温度約5億2,000万Kという極めて高い温度状態を達成しました。この記録は地上で人類が作り出した最高温度として当時のギネスブックにも掲載されていました。一方，極低温の世界を実現する研究も進んでいます。筆者の研究室ではレーザーを使って絶対零度に近い状態を実現する研究を進めています。

　レーザー冷却法は1970年頃から活発に議論されてきた技術で，もちろんレーザー

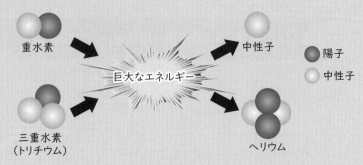

重水素

三重水素
（トリチウム）

巨大なエネルギー

中性子

ヘリウム

陽子
中性子

図8.4　核融合反応　重水素と三重水素からヘリウムと中性子ができる際，巨大なエネルギーが発生する

が大きな役割を果たしています。このレーザー冷却法を使うと，室温，つまり約300 K の気体原子を一気に 100 μK（絶対零度より 1 万分の 1 K だけ高い温度）ぐらいまで簡単に冷やしてしまうことができます。さらに絶対零度に近づけるには，レーザー冷却に加えて蒸発冷却という技術が重要になります。

　図8.5 は宇宙で最も低い温度（ボース・アインシュタイン凝縮）を 1998 年に日本で初めて実現した装置です。装置の上部はレーザー冷却をする部分で，そこで 100 μK 程度にまで予備冷却した気体原子（Rb）を下方に運び（落下させ），下の部分で蒸発冷却を行い，1 μK 以下の温度にまで下げることができます。

　蒸発冷却は，熱いお茶を空気中にさらしておくと冷めていくメカニズムによく例えられます。熱いお茶からは湯気が出ていますが，その湯気はお湯の中から飛び出してくる速い，つまりエネルギーの高い原子（水分子）が源になっています（水分子は目には見えませんが，多数の水分子が空気中に出てから冷えて凝縮したものが湯気として目に見えるわけです）。

提供：久我隆弘教授

図8.5　レーザー冷却法により気体原子（Rb）を冷却し，さらに蒸発冷却を行うことで「宇宙で最も低い温度（ボース・アインシュタイン凝縮）」を日本で初めて実現した実験装置

残ったお茶にはエネルギーの低い原子がとり残されます。気体原子の蒸発冷却は，まず磁場によって作られた「容器」の中に気体原子を閉じ込めます。ただ，この容器の壁は無限に高いわけではないので，この容器の壁を乗り越えることができる原子，つまりエネルギーの高い原子は壁を跳び越えて外に出て行きます。この過程で原子の数は減ってしまいますが，残った気体原子集団は前よりも温度が低くなっています。そしてある程度落ち着いたところで壁の高さを少し低くしてあげます。すると，今度はその高さを越えられる原子だけがまた外に跳び出していき，残った原子はさらに冷えるという方法です。つまり原子を蒸発させて（跳び出させて）残った原子が冷えるという意味で「蒸発冷却」と呼んでいます。

　今はその冷却した原子をどのよう応用に結びつけるのかが多くの興味を集めています。例えば最近では「量子情報処理」という言葉がありますが，冷却された気体原子を自由に操って量子コンピュータを作れるのではないかといった方向に研究がかなり進んできています。

 読書案内

"測る"を究めろ！　物理学実験攻略法

久我隆弘 著，丸善出版（2012）

自然科学（物理学）は実験（観測）と理論（解釈）を両輪にして発展してきました。この好循環を今後も続けていくためには，より"確からしい"実験結果を得ることが最も重要です。本書は，この"確からしい"の指標となる「不確かさ」を身近なものを使った実験を通して一から学んでいくものです。アドベンチャーゲーム仕立てになっているので，高校生も読み進めていけるはずです。一度，図書館や書店などで手に取ってみてはいかがでしょうか。

「科学こそ

学問の真実に至る王道である。

どこかで間違っても,

自然がその誤りを

指摘するからだ」

電磁気学の分野で, 重要な功績を残した

ジェームズ・クラーク・マクスウェル

1831-1879

James Clerk Maxwell

略歴

1831 年	スコットランドのエディンバラに生まれる。
1839 年	8 歳で母を亡くす。
1841 年	10 歳でエディンバラ・アカデミー入学。
1850 年	19 歳でトリニティ・カレッジ入学。
1854 年	23 歳で電磁気の研究を始める。
1856 年	25 歳のとき, アバディーン大学の物理学教授に就任する。
1857 年	26 歳のとき, 論文「ファラデーの力線」がファラデー本人に高く評価される。
1861 年	30 歳のとき, 「三原色論」について講演。
1871 年	40 歳でキャベンディッシュ研究所の初代所長に就任。ヘンリー・キャベンディッシュの記録を整理・出版する。
1879 年	48 歳, がんのため逝去。

電磁気学の開拓者

　1857年3月。スコットランド・アバディーン大学の若き物理学者マクスウェルは，イギリス王立研究所から届いた手紙を興奮に胸を躍らせながら読んでいた。手紙の差出人はマイケル・ファラデー。電磁誘導の発見者として世界中に知られた科学者だった。

「あなたの論文を拝見して，研究を進めていく大きな力を与えられました。私の
　研究に数学的裏づけが加えられた事実に驚き，そして感謝しています」

　マクスウェルは喜びでいっぱいだった。彼が書いた「ファラデーの力線」という論文を，最大級の賛辞でファラデー本人が評価してくれたのである。ファラデーが歴史的な電磁誘導の実験に成功した年，自分は生まれた。マクスウェルはこの偶然に何か運命的なものを感じていた。そして，ファラデーが切り拓いた電磁気学の研究を自らの手で深く極めようと心に誓ったのである。ジェームズ・クラーク・マクスウェル，このとき26歳だった。

　近代物理学の歴史を振り返ってみますと，ニュートンやアインシュタインの名前が必ず挙がってきますね。でも偉大な発見をした物理学者にはもう1人，忘れてはならない人物がいるのです。一般の人にはあまり知られていませんが，電磁気学の分野で偉大な功績を残した人物，それが今回紹介するマクスウェルです。彼の名が広く知られていないのは，研究内容が専門的で難しいということも理由の1つです。
　図9.1は「マクスウェルの方程式」と呼ばれる彼の作った計算式で，現在でも専門家の間では必要不可欠なものとなっています。見たところ，私たちにはあまり馴染みがなさそうな計算式ですよね。しかし彼の方程式によって，電化製品や情報通信などが発達し，現代の電気文明が作られたのも事実です。それはどのような歴史を経て，発展していったのでしょうか？
　今回はマクスウェルの生涯をたどりながら，電磁気学の黎明期に旅してみましょう。

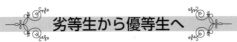

$$\text{rot } H = i + \frac{\partial}{\partial t} D$$

$$\text{rot } E = -\frac{\partial}{\partial t} B$$

$$\nabla \cdot E = \frac{\rho}{\varepsilon_0}$$

$$\nabla \cdot B = 0$$

図9.1　マクスウェルの方程式

―劣等生から優等生へ―

　ジェームズ・クラーク・マクスウェルは，1831年6月13日にスコットランドのエディンバラで生まれた。父親のジョン・マクスウェルは弁護士だったが遺産で広大な土地を相続し，そこの領主となった。マクスウェルは両親の深い愛情と裕福な暮らしの中で育った。

母親は，マクスウェルが8歳のときにがんで亡くなってしまいます。ですから父親は，ひとりっ子のマクスウェルを片時も離さないぐらいに溺愛していたそうです。
しかし，いつまでも手元に置いておくわけにもいきませんから，彼が10歳のとき，エディンバラ・アカデミーという学校に入学させました。学校生活を始めたマクスウェル少年。早速，天才ぶりを発揮したのでしょうか。いえいえ，まったくの逆で，同級生から付けられたあだ名が「ダフティー」。まぬけとか，ばかたれ，といった意味です。いつも無口で，ことあるごとに1人で考え込んでしまう態度が，そんなあだ名をつけさせたのでしょう。
ところが，彼は入学して4年も経つと，学校一優秀な生徒に変貌してしまいます。

ある日，マクスウェルは父親とともに行った美術の講演会で，美しい図形は数学を使えば簡単に作り出せるという話を聞いた。興味をもったマクスウェルは，均等な美しい楕円形を数学的に整理して描き出す方法を考えた。

　それは2つの位置に針を立てて糸の端をこれらに結びつけ，ペンの先で糸が張った状態のまま動かしていくと，針の位置を頂点とする楕円ができるという数学的理論だった。

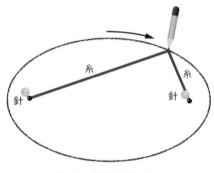

図9.2　楕円の描き方

　この理論を父親がエディンバラ王立協会に持ち込んだところ，協会が主催する学術講演会で紹介されるほど高い評価を得た。この頃からマクスウェルは天才の片鱗を見せ始めたようである。

　1850年，マクスウェルはケンブリッジ大学のトリニティ・カレッジに入学。ニュートンが学生時代に学んだ学校である。トリニティ・カレッジに入る前，マクスウェルはエディンバラの大学で学んでいたが，あまりに優秀すぎた彼には講義内容が物足りなく，父親に頼み込んでここへ移ってきたのである。

トリニティ・カレッジでのマクスウェルは，頭の良さに加えてユーモアのセンスも開花し，学校では人気者となります。エディンバラ・アカデミー時代とはまるで別人のようでした。数学と物理も常にトップクラスでしたので，父親は息子の成長ぶりに大喜びで，将来に大きな期待を寄せていたようです。

23歳で卒業したマクスウェルは，教授たちを手伝う研究員として大学に残った。ここで彼は電磁気の研究を本格的に開始したのである。

マクスウェルの名を不朽のものとする「電磁気」がいよいよ登場しました。しかしそれ以前，電磁気の研究はどのように進められていたのでしょうか。

18世紀まで電気というものは自然界に存在する静電気しか知られていなかった。流れる電気，つまり電流は人の手によって作り出されていなかったのである。

17世紀のドイツではオットー・フォン・ゲーリケという人物が摩擦によって電気を作り出す方法を考えた。硫黄にさまざまな鉱物を混ぜて大きな球を作り，板に擦りつけることで静電気を起こすというものである。球に静電気が蓄えられると，その反発力で鳥の羽を空中に浮かばせることができたと言われている。

18世紀に入るとオランダのライデン大学で，静電気を蓄えるライデン瓶という装置が発明された。このライデン瓶はたちまち人気を集め，ヨーロッパでは社交会の余興として電気を放電させる遊びが流行した。体に電気を送り込んで軽くしびれさせたり，火花を起こしてアルコールに火をつけたりなど，電気という不思議な力はこの当時，見世物的に利用されていた。

電気を遊び道具ではなく，人類の財産へ発展させたのがイタリアの物理学者アレッサンドロ・ボルタである。信心深い家庭に育ったボルタは，ある日突然，電気の研究に目覚め，55歳のとき「ボルタの電堆」を発明。これは現在の電池の原型といえる構造で作られたものだった。「ボルタの電堆」に感心した時の権力者ナポレオンは名誉ある地位を授けようとしたが，ボルタはこれを断り故郷に戻って静かに人生を終えた。

「ボルタの電堆」は，イタリア・ボローニャ大学の解剖学教授ルイジ・ガルバーニの行った実験が発明のきっかけだったと言われている。ガルバーニは，カエル

の解剖を行っていたとき奇妙な現象を目にした。近くで電気を放電すると，鉄板に横たわっている死んだカエルが脚をぴくりと動かしたのである。興味を抱いたガルバーニはカエルの足と電気の関係を調べるための実験装置を作り上げ，多くのデータを集めた。やがて，外部からの電気がなくてもカエルを乗せた鉄板と，カエルにつないだ金属製の導線を接触させることでカエルの脚が動くという事実を発見した。当時ガルバーニはカエルの体内で電気が自然発生するものと考え，この電気を「動物電気」と名づけた。

最初ボルタはこの実験に感動したのですが，自分も研究を進めるうち次第に疑問が湧き上がってきました。もしかするとカエルが電気を起こしているのではなく，実験に使われた2種類の金属が，本当は電気を起こしているのではないかと考え始めたのです。

　さまざまな実験を重ねた結果，ボルタは1つの結論を出した。それは2種類の金属が接触することによって電気を生み出すという「金属電気」の考えである。

　そして1800年，この理論を深めて完成させたのが，彼の名を不朽のものとした「ボルタの電堆」だった。これは酸で浸した布を銅と亜鉛の円盤で挟み，何段も重ねて柱状にしたもので，現在の電池とほとんど同じ原理で電流を発生させる。こうして人類は一瞬の放電ではなく，安定した連続的な電気の流れを手に入れた。それはまさしく電気文明への第一歩を踏み出したものだった。

電気の発明を語るうえでボルタの功績は重要なのですが，この時点ではまだ電気と磁気が密接な関係にあるなんて，誰も気がついていませんでした。当時は自然界に存在する磁石しか磁気というものが理解されていなかったのです。電気と磁気の関係が明らかにされたのは，ある偶然からでした。

　1820年，デンマークの大学教授ハンス・クリスチャン・エールステッドは，学生たちの前で電流が流れている導体を加熱する実験をしていた。そのとき実験

とは関係なく置かれていたコンパスの針が，電流が流れたときかすかに揺れ動いたのである。これを目撃したエールステッドはまったくの偶然から電気と磁気の密接な関係を発見した。

この事実に注目したフランスのアンドリー・アンペールは，電気によって磁気が発生することを理論的に証明。電磁気学の根本的基礎を作り上げた。これらの研究をさらに発展させたのがイギリスのマイケル・ファラデーである。

1791年生まれのファラデーは貧しい家庭に生まれ，学校に通うことができなかった。しかし21歳のとき，後に王立研究所総裁となるハンフリー・デイビーに見出され彼の実験助手となる。ファラデーは電気から磁気が生み出されるのなら，逆に磁気から電気を作り出すこともできるのではないかと考えた。

彼が行った実験は，銅線の巻かれた筒の中に棒磁石を入れたり出したりすることで電流の発生を確かめるというものだった。そして実験を重ねた結果，ついに1831年「電磁誘導の法則」を発見したのである。

磁石が運動するとき電流が流れる。これは大発見でした。電気の力を機械的なエネルギーで作り出せることがわかったからです。「電磁誘導」と名づけられたこの原理が発見された年，1831年に生まれたマクスウェルは，まさしく運命的な誕生だったと言えるでしょう。

1856年，マクスウェルは故郷スコットランド・アバディーン大学の物理学教授に就任した。まだ25歳のときである。同じ年，最愛の父が亡くなるが，その2年後に学長の娘キャサリンと結婚した。子どもはできなかったがマクスウェルは終生妻を愛し，幸せな家庭生活を築いた。

電磁気に関する論文「ファラデーの力線」を書いたことをきっかけにファラデーからの返事がマクスウェルを勇気づけたのは，冒頭のとおりである。すでに66歳になっていたファラデーと，26歳のマクスウェルの交流はこうして始まり，後に大きな成果として結晶することになる。

マクスウェルの研究が集大成されるのは，1873年に出版される『電磁気論』で

ある。しかしその骨子はアバディーン時代に少しずつ形成されつつあった。内容
は，電気と磁気の関係を統一してとらえ，どんな条件下でどのような電磁気現象
が起きるか正確な理論を作ることにあった。

　これらは方程式にまとめられ，「マクスウェルの方程式」と呼ばれた。あらゆる電
磁現象を記述するのに，現代でもほとんどそのまま使える適切なものとされている。

　さらにマクスウェルは当時知られていなかった電磁波の存在を予言し，その速
さは光の速度に等しいものと考えた。電磁波は，テレビ，ラジオ，通信など現代
社会に不可欠な存在である。ドイツのハインリッヒ・ヘルツが電気的装置を使っ
て電磁波を発生させることに成功したのも，マクスウェルの理論が大きな影響を
与えたためと言われている。

数学的な才能を発揮して，マクスウェルはその後さまざまな分野
に研究対象を広げていきます。
マクスウェルは29歳のとき，アバディーン大学からロンドンの
キングス・カレッジへ移りました。新婚間もない彼は，活気に満
ちた都会で新しい研究生活を始めたのです。
彼の講義は学生たちにとって難しすぎたようで，あまり評判は良
くなかったようです。しかし研究のほうはエネルギッシュに活動
を広げていきました。

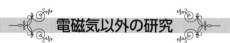

電磁気以外の研究

　マクスウェルは分子の運動論や熱の力学などさまざまな分野に手を伸ばした。
なかでも土星の輪については以前から興味をもっていたため，その運動法則につ
いて数学的な検証を始めた。

「土星の赤道上を巨大なアーチが回転してるのを目にして，私はそれを自然界に
おける事実の1つに過ぎないと簡単に片づけてしまうことはできない。なぜなら，
この宇宙に人間の理解が及ばない現象が存在するとは思えないからだ。すべての
運動は力学の原理に基づいて説明がつくはずである」

さらにマクスウェルは1861年，王立研究所で「三原色論」について講演。赤・青・緑のポジ乾板をランプの光でそれぞれが重なるようスクリーンに投影することで，写真をカラーで映し出す原理を発表した。

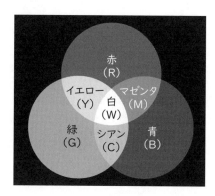

図9.3　光の3原色

マクスウェルは，次々と新しい研究に手を伸ばしていきます。いずれの分野でも高い水準の業績を残していますから，まさに天才としか言いようがないでしょう。

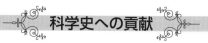
科学史への貢献

1871年，ケンブリッジに新しい実験物理研究所が設立され，その初代所長にマクスウェルが就任した。キャベンディッシュ研究所と名づけられたこの施設は，20世紀に数多くのノーベル賞学者を輩出するイギリス一の研究所へと成長していくのである。

この所長時代に，マクスウェルは100年前の科学者が書き残した膨大な記録を5年もかけて整理し出版した。その科学者の名はヘンリー・キャベンディッシュという，ややミステリアスな人物だった。

ヘンリー・キャベンディッシュは貴族の生まれで巨額の財産をもっていたが，

異常なまでの人間嫌いで独り屋敷にこもってさまざまな実験を繰り返していた。彼の研究は，電気や熱，気体などの運動が中心だったが，その実験内容は当時の水準をはるかに超えた革新的なものだった。彼は研究を一切公表しなかったのでその存在は長い間知られていなかったが，マクスウェルの尽力によって科学の歴史に名をとどめることになったのである。

自らの研究だけではなく，科学史に埋もれた研究者たちを発掘するなど，マクスウェルの活動は多岐にわたりました。ところが40代の頃，突然，彼に死の病が忍び寄ってきます。
それは母親の命を奪った病，がんでした。療養生活を始めたマクスウェルは見舞いに来た知人にこう言ったそうです。

「また子どもに戻ったような気分だよ。なにしろミルクしか飲むことができないんだからね」

　やがて容態は急変し，二度とベッドから起き上がることはできなかった。そして1879年11月5日，マクスウェルは静かに息を引き取った。このとき48歳。あまりにも短すぎる生涯だった。

多くの業績から考えると，マクスウェルという人物は，堅苦しい学者像を想像してしまいがちです。しかし実際の彼はユーモア溢れた詩を書いたりもする，柔らかい精神の持ち主だったそうです。マクスウェルは天才的頭脳とユーモアのセンス，一見，相反する両面をもっていました。もしかするとこうした人間としての深さが1つの哲学とまで言われた「マクスウェルの方程式」を生む要因となったのかもしれませんね。
自分の理論に絶対の自信をもっていたマクスウェルですが，決して独りよがりな考えでそう思っていたわけではないようです。彼の残した言葉から，その理由がうかがえます。

「科学こそ学問の真実に至る王道である。どこかで間違っても，自然がその誤りを指摘するからだ」

横浜国立大学大学院
教授　新井　宏之

（新井先生）「今日のインターネットに代表されるような膨大な情報が飛び交う世の中で，その情報を瞬時に伝える必要があります。そして無線を使って行うことが求められています。電波は一度アンテナから出て行くといろいろなところで反射するため，受け手側は余分なものまで受け取ってしまいます。このような状況を解決するためには，電波がどのように伝わっていくのかを正確に予測して，最適な経路を用いて受け手側に伝えることが望まれています」

 現在新井先生は，電波暗室と呼ばれる実験室を利用して，電波の経路を特定する研究を進めています。

（新井先生）「向こう側のアンテナから出てきた電波をこちらで受信してから計算

提供：新井宏之教授

図9.4　電波暗室

機で信号処理をすると，パソコンの画面上にどの方向から，どういう強さの電波が来ているかというのがわかります。この電波に運ばれている情報だけを取り出すことで品質の高い通信を行えるようになります」

 電波の来る方向はモニター画面に表示されます。縦軸が電波の強さ，横軸が角度を示しています。

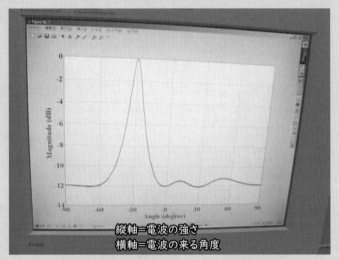

縦軸＝電波の強さ
横軸＝電波の来る角度

図9.5　電波の来る方向はモニター画面に表示

（新井先生）「電波がどこから来るかが一目でわかるので，来た方向にだけ電波を返してやれば，不要なところで反射することを防ぐことができます。そして最適な経路だけを選んで電波を伝えることで，品質の高い通信システムを実現できるようになります」

 こうした情報通信技術が発展していく背景には，「マクスウェルの方程式」が重要な役割を果たしています。

（新井先生）「「マクスウェルの方程式」というのは，空間を伝わる特定の電波の様子というのを決めるものです。また，「マクスウェルの方程式」によって，例えばアンテナを作る場合，その形状を最適に決めることが可能となります。これ

らの作業はすべてコンピュータを使って行われています。このように，「マクスウェルの方程式」は電波を利用するために不可欠なものなのです」

 読書案内

電磁波とはなにか　見えない波を見るために

後藤尚久 著，講談社(1984)

目で見ることのできない電波を数式に頼らずに，電気力線と磁力線といった理解しやすい概念を用いて平易に解説しています。そして，電波がどうして光の速度で進むのか，またどのように空間を伝わって行くのかを，波として伝わる性質を明らかにすることで，見えない電波を見る手助けとなる書籍です。

「私は考えたのではなく，
　ひたすら実験を
　繰り返したのです」

X線を発見し医療に偉大な恩恵をもたらした

ヴィルヘルム・レントゲン

1845-1923

Wilhelm Röntgen

🎖 略 歴 🎖

1845 年	ドイツのレンネップで生まれる。3 歳の頃オランダに移住する。
1865 年	チューリッヒ工科大学で学び，物理学に興味をもつ。
1888 年	ヴュルツブルク大学物理学教授に就任。
1895 年	陰極線を研究中，物質を通過し蛍光紙を光らせる謎の光線・X 線を発見。
1901 年	第 1 回ノーベル物理学賞受賞。
1923 年	77 歳で逝去。

X線の発見者

みなさん，機械に胸を押しつけて「大きく息を吸って，はい止めて」と言われながら胸の写真を撮ったことがありますよね。

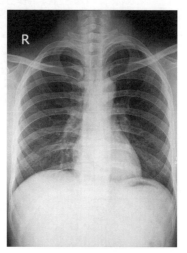

図10.1　X線写真[1]

あれがX線写真を撮っているということは誰でも知っていると思います。体の中を写真に撮れるなんて本当に不思議ですよね。このX線を発見したのは誰かご存知ですか？　そうレントゲンなんです。しかしどんな人で，どんな時代に生き，どうやってX線を発見し，その後どんな人生を送ったのか意外と知られていません。マリー・キュリーやアインシュタインについてはたくさんの書物が書かれています。しかしなぜかレントゲンにはほとんどないのです。いったいなぜでしょうか。

穏やかな少年期

1845年3月27日，ドイツの小さな町レンネップ，ヴィルヘルム・レントゲンはこの町で生まれた。父親は織物工場を経営し，家庭は裕福だった。レントゲンがまだ3歳の頃，フランス二月革命の余波でドイツの社会も騒然とし，父親はこれを嫌ってオランダに移住した。17歳でユトレヒトの工業学校に進み，初めて両親のもとを離れた。

「私自身の青春時代を思い出すとき，両親と暮らしたアッペルドルンの家ではなく，ユトレヒトの町で過ごした頃が一番懐かしく思い出されます」

レントゲンは後年，自らの青春時代について，こう語っていたという。

この時代，レントゲンは物理が苦手だったそうです。ノーベル物理学賞に輝いた学者としては意外ですよね。偉人として後々まで語られる人は大抵，子どもの頃から波乱に富んだ人生を送ることが多いのですが，レントゲンにはあまり劇的なことがありません。この辺りが，たくさん伝記が書かれない理由のひとつかもしれません。

運命の出会い

二十歳になると，工科大学に入学するためにスイスのチューリッヒにやってきた。彼はここで人生における2つの運命的な出会いを果たす。

1つは，大学近くの居酒屋の娘ベルタとの出会いである。レントゲンはその居酒屋の店主と妙に気が合い，病気がちの彼の娘ベルタをお見舞いに行ったのが恋の始まりだった。2人は6年越しの恋を実らせて，1872年に結婚した。

レントゲンはこのとき27歳，ベルタは6歳年上で，体は弱かったが聡明で生涯を通じてレントゲンの大きな支えとなった。

大学で勉強を続けるうちに，それまでの機械技術学から物理学に興味をもち始

めていたレントゲンは，何気なく授業を受けていた音響学，工学の教授に強い魅力を感じた。新進気鋭の物理学者アウグスト・クント教授である。この出会いがレントゲンのその後の人生を決定づけ，物理学を一生の仕事とする大きな決め手となった。

　クントは物理の理論だけでなく，実験も重視する教授であった。レントゲンは教授の実験を手伝っているうちにますます物理学に惹かれていった。研究に対する厳しい姿勢，あらゆる角度からの緻密な実験，少しの間違いも認めない明快な論文，どれをとっても素晴らしかった。レントゲンはクント教授を人生の師と仰ぐようになった。

クント教授はと言うと，機械の組立てなどが非常に上手なレントゲンに目を付けていました。クント教授は，機械を扱うのが上手なものは立派な実験家になれる素質がある，という信念をもっていたので，レントゲンこそ自分の助手にふさわしいと考え始めていました。こうしてクント教授が新しく赴任したドイツのヴュルツブルク大学に助手として同行し，レントゲンは物理研究者としての第一歩を踏み出します。

　助手として出発したレントゲンは，10年以上の歳月をかけて講師，助教授，教授へと出世していった。その間に華々しい話題はひとつもなかったが，堅実な実験報告の論文は高い評価を受け，次第に学者の間で知られる存在になる。同僚の1人はその特色をこう語っている。

「レントゲンは自分の前にある問題の本質を明確に理解し，実験技術は巧みである。論理的な手法を用いて，自分の見出した結果の厳密な試験を実施したうえで提出する簡潔な論文。そのやり方はクント教授流で，優れた典型的な実験物理学者であることを立証している」

　1888年，レントゲンは念願叶ってヴュルツブルク大学物理学教授となった。

順調に物理学者としての道を歩んでいたレントゲンがヴュルツブルク大学の教授になって6年目。突然、恩師のクント教授が亡くなります。レントゲンにとっては大きな痛手だったのですが、いつまでもその死を悲しんでいるわけにはいきません。これを機にクント教授との数々の共同作業から学び取ったことに磨きをかけ、20世紀を代表する物理学者への道を歩み始めます。

レントゲンはさまざまな研究に関心をもっていました。電磁気学、熱力学、真空放電などの当時最先端分野の論文を読み漁り、そのとおりに実験を繰り返しました。納得できない結果が出たときは、手紙を書いて直接教えてもらい納得がいくまで繰り返す、というような徹底ぶりでした。このとき読んだ真空放電の関連文献が、後の大発見につながるということは彼ですら思いもしなかったことでしょう。

謎の光の正体

　管の中の気体を抜いて真空状態に近くし、陰極と陽極を設置して電流を流すと陰極から一種の放射線が出る。

　これを陰極線と言う。陰極線の正体は、目に見えないくらい小さな粒子という説と、電磁波という説が激しく対立し結論が出なかった。

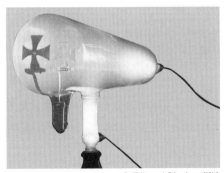

© Zátonyi Sándor, (ifj.)

図10.2　陰極線[2]

レントゲンが興味をもった論文がありました。それはフィリップ・レーナルトという研究者が真空の管を作り，そこにアルミ箔の窓をつけて陰極線を外に2cm取り出すことに成功したという報告でした。レントゲンは早速手紙を出します。レーナルトから丁寧な返事が来て，親切にもなかなか手に入れにくい薄いアルミ箔を2枚も送ってくれました。研究者同士の麗しい友情となるべき話だったのですが，これが後年悪夢のもとになろうとはまったく運命の神様は皮肉です。

　レントゲンはレーナルトの教えに従い，手に入れた管を使って実験を始めた。レーナルト管にアルミ箔の小さな窓を取りつけ放電すると，窓から陰極線を外部に数cm取り出せた。レーナルトの報告のとおりだった。次にレントゲンはより鮮明に陰極線を取り出すために，管を黒い紙で覆った。部屋を真っ暗にし放電すると，やはりおよそ2cmの陰極線を目にすることができた。納得して次の実験に進もうとしたとき，何かが微かに光ったような気がした。暗闇に充分目を慣らして実験を再開した。やはり何かが光った。それは1m以上離れたところにあった蛍光紙だった。

「この陰極線が光らせているのではない。この管から何か別のものが出ているのか」

レントゲンは何度も実験を繰り返しました。蛍光紙を遠くへやったり，裏返したりしてみましたが，やはり結果は同じ。次に，トランプや本などを管と蛍光紙の間に置いてみたりしましたが，やはり蛍光紙は光りました。

　目には見えないが陰極線より遥か遠くまで届き，物質を通過し蛍光紙を光らせる謎の光線。1895年11月8日，X線が初めてレントゲンの前に姿を現した瞬間だった。レントゲンこのとき50歳。

　レントゲンはそれから数週間，ベッドを研究室に持ち込み，寝食を忘れてこの不思議な現象の解明に取り組んだ。たまに食事に戻ってきても黙ったまま。ベル

タが「どうしたの？」と尋ねても何も答えなかった。

　もっと驚くことが起こった。それは鉛の実験をしていたときだった。
「鉛の板をつかんでいた私の親指と人差し指がくっきりと浮かび上がり，しかも指の中に黒い影，すなわち骨が映し出されたのだ」

冷静な科学者であるレントゲンも，さすがにこのときは一瞬，背筋が凍ったと言います。実は，私は今でもＸ線で写された肋骨や腕の骨を見ると，理屈ではわかっているのですが何か不気味な感じに捕らわれてしまうのです。初めて自分の骨を見たレントゲンがどんなにびっくりしたか，わかる気がします。

　レントゲンは，磁石や木の箱に入れた分銅，ベルタの指などを夢中で写真に撮った。ベルタの指を撮るのに当時の装置では約15分くらいかかった。

　Ｘ線は光と同じ電磁波の一種である。太陽光線をプリズムで分けると七色の光を見ることができる。

　この光のエネルギーは，赤いほうが弱く，青いほうが強い。この青い光より強いエネルギーをもっていて，目で見ることができないのが紫外線である。Ｘ線は紫外線よりさらに強いエネルギーをもっているため，人体を通り抜けるのだ。これがＸ線の大きな特徴の1つ，透過現象である。

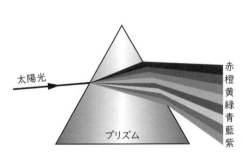

図10.3　太陽光はプリズムで七色に分けられる

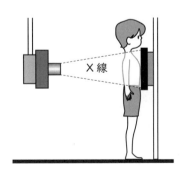

図10.4　透過現象

─ X線発見の影響 ─

年明け早々，レントゲンは論文「新しい種類の線について」と，ベルタの手や羅針盤などのX線写真を，当時の有名な科学者たちに送ります。反響はどうだったのでしょうか。
そう，驚きと半信半疑の声が殺到したのです。しかし，事態はレントゲンも予想しなかった方向に走り出します。

　ウィーンの新聞がX線発見の第1報を流し，このニュースはあっという間に全世界に広がった。レントゲンの撮った人体像の透過写真は人々を仰天させた。

学問上の発見が，骸骨を映す謎の光線が見つかったという形で，異常な興奮とともに世界に広がったのです。現在X線はさまざまな分野で利用されており，とりわけ医学の分野では人類に大きな恩恵を与えてくれています。

　X線の発見によって一躍，時の人となったレントゲン。ドイツ皇帝ヴィルヘルム2世の前で講義と実験を披露し，喝采を浴びた。しかし，もともと地味な研究者であったレントゲンは，こうした華やかなことがどうしても性に合わず，物理医学協会で一度だけ講演したほかは，殺到する一切の依頼を断ったのだった。
「あちらこちらから問い合わせが殺到し，私は心底困っている。新聞は発見を興味本位で書き立て，実に不愉快だ」

事実，世界で初めてX線写真が撮られたのは，レントゲンの発見に先立つ6年前でした。

　アメリカ・ペンシルヴァニア大学のグッドスピード教授は，放電現象の実験中，実験器具のそばに置いてあるフィルムに2枚の硬貨の像が感光しているのを見つ

けた。しかし，なぜそんなものが写ったのかわからず写真は倉庫に6年間眠ったままだった。レントゲンのX線発見のニュースにグッドスピードはこういった。

「私がすでにX線による写真を撮影していたとしても，今回のX線写真の発見に対していかなる優先権も主張しません。なぜなら私たちは何も発見したのではないからです」

同じような実験装置で同じような実験をしているのですから，確かにあちこちの研究室でX線は観察されていたに違いありません。しかし，たまたま見ただけと発見したのとではまったく別のことです。

みんながグッドスピードのように謙虚な人ばかりならば良かったのですが，そうでない人たちの非難や中傷がレントゲンを苛立たせます。X線を発見したのは私だとか，どの研究室でもX線は見出されていたとか，発見は偶然の幸運以上のものではないといったようなものです。ほとんどの非難には耳を貸さなかったレントゲンですが，一つだけ気にかかることがありました。それはあのフィリップ・レーナルトのことでした。

「レントゲンは私のアドバイスを参考に実験し，彼の目で何か見つかるのではないかと私の考えを引き出して有名になっただけだ。X線の母は私である」

　レントゲンは沈黙を守った。1901年，第1回ノーベル物理学賞に2人が候補にのぼりながらレントゲンの単独受賞という結末を迎えたことで，一層レーナルトは攻撃をエスカレートさせた。

彼はその後，ドイツ物理学会の大物になるのですが，終生レントゲンへの非難をやめませんでした。ヒトラー政権が誕生すると急速にナチズムに傾斜し狂信的な反ユダヤ主義者となり，アインシュタインをはじめユダヤ系の学者をドイツから追放することに意欲を燃やします。まあ，大変な人物に憎まれたわけですからレントゲンはますます人間嫌いになっていきました。

華やかな場を好まないレントゲンは晩年，表舞台に立つことは一切なかった。

　レントゲンはX線に関する最後の報告をした後，新しい科学論文は一切書かず，大学での教育にすべてのエネルギーを傾けた。彼の整然として明確な講義は，年々高度な内容となり，勉強家の学生しか理解できなかったという。

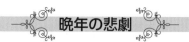

晩年の悲劇

　第一次世界大戦が起こりドイツは敗北。敗戦の痛手に追い討ちをかけるように最愛の妻ベルタが亡くなった。妻を失ったレントゲンは深い失意の底に沈んだ。

　庭に花が咲く季節には毎日ベッドにベルタの大好きな花を飾り，それは3年間も続いたといいます。彼女が愛用したリクライニングチェアに座り，今は亡き妻を思い出しながら手紙や詩を読んであげたそうです。

　1923年2月10日，妻ベルタの死の4年後，後を追うようにしてレントゲンはミュンヘンの自宅で静かに息を引き取った。77歳，孤高の生涯だった。

　レントゲンの発見は人類に偉大な恩恵をもたらしてくれました。ウランを使ってX線の実験をしていたフランスのベクレルがX線とは別の謎の放射線を発見し，それがキュリー夫妻の放射能の研究につながり原子の世界が拓け，アインシュタインの登場を促すのですから，レントゲンが20世紀物理学の幕を開けたと言ってもいいでしょう。

　しかし，レントゲンという人は静かな研究生活が一番似合う人でした。それがX線の発見によりまったく別の世界に放り込まれてしまった。X線の発見は彼にとって幸福だったのか不幸だったのか。レントゲンだけがその答えを知っているでしょう。晩年，大学での教育にすべてのエネルギーを傾けたレントゲンは，実に厳しい先生であったと言われます。

　彼はこのような言葉を残しています。

「私は考えたのではなく，ひたすら実験を繰り返したのです」

エピローグ *Epilogue*　🦋 がんの放射線治療の進化 🦋

元放射線医学総合研究所
加速器物理工学部長　曽我　文宣

　現在，放射線治療は外科手術，抗がん剤投与と並んで，がん治療の三大治療の一つです。驚くべきことにレントゲンが1895年にX線を発見して，まだその何たるかがわからないからX線と名づけられたにもかかわらず，2, 3か月後には末期がん患者を何とかしたいという医者の熱意で，X線治療がドイツ，フランス，アメリカで行われました。当初は成功しませんでしたがX線発見の4年後，スウェーデンで高齢の女性の鼻の皮膚がんの治療が成功しました。

　以来，X線照射は放射線治療で現在でも最も多くの患者に対して行われ，照射

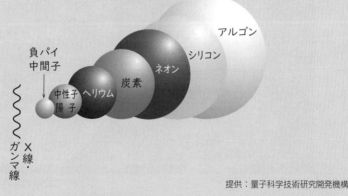

提供：量子科学技術研究開発機構

図10.5　重粒子線がん治療（粒子の大きさ）

方法もどんどん進歩しています。ただしX線，ガンマ線のような電磁波では，体内における吸収線量が体表面から徐々に減少し，腫瘍に到達する前の正常組織により大量の線量が賦与されるため，腫瘍には少量の線量しか与えられないという欠点があります。これに比べて陽子や炭素線のような粒子線は体内で徐々に減速していきますが，到達距離に至る直前まで線量は少なく，止まる寸前で大量の線量を賦与します。したがって，エネルギーを加減して腫瘍の位置に到達距離を合わせると腫瘍に集中的に線量を賦与できるという非常に治療効率の良い治療法です。手術のような外形に傷あとが大きく残ることもなく，また治療中に痛さを感じることもなく抗がん剤のような苦しい副作用も少ないという利点があります。

　しかし，X線発生装置は小型のもので可能ですが，粒子線発生装置はかなり大型の加速器装置が必要で，体内での到達距離が30 cmとなると陽子線（水素の原子核）では約120 MeVとなります。旧放射線医学総合研究所（現在は組織が変わり，分岐して3つの研究所と病院になった）の加速器治療装置HIMAC（Heavy Ion Medical Accelerater in Chiba）の炭素線では400 MeV/核子（4億電子ボルトで，炭素は12個の核子でできている）というエネルギーになり，これは光の64％の

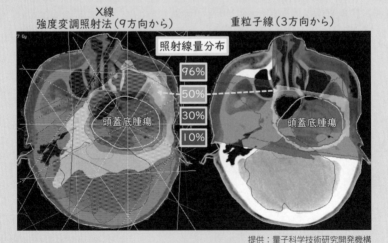

提供：量子科学技術研究開発機構

図10.6　X線と炭素線の線量分布の比較[3]

速度に当たります。このようなことで1994年に治療開始の旧放射線医学総合研究所では，日本で最初ということもあり，直径約40 mのシンクロトロンが使われています。

　その後，小型化への技術的開発が行われ，現在では約1/3の大きさとなり建設予算も約1/3になり，現在日本では千葉，兵庫，群馬，佐賀，神奈川，大阪と6か所の重粒子線施設で治療を行っており，さらに山形に建設中，京都に建設予定と全国に拡がっています。

　この数は世界でも断然1位で，外国では2か所ある国は1つもありません。陽子線はその生物学的効果では炭素線よりやや劣りますが，日本では現在14か所で治療が行われ，さらに5か所で建設中です。

　現在の量子医科学研究所(旧放射線医学総合研究所の一部が発展的に名称を変えた)のHIMAC管理のもとで，病院では今，年間7〜800人のがん患者が治療を受けており，建物も拡がり，照射法もスポット・スキャニングという細密な方法

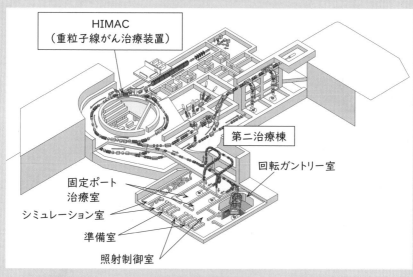

図10.7　量子医科学研究所(千葉市稲毛区)の治療施設
(量子科学技術研究開発機構HPより引用して加筆)

に変わりつつあります。また，医学的な面ではいろいろながん腫瘍の種類に応じて，いくつかの異なる元素による混合照射で，より良い治療をする高度な治療に向けての研究が進められています。

折々の断章 物理学研究者の，人生を綴るエッセイ
曽我文宣 著，丸善プラネット(2010)

HIMACの建設当時の記述が含まれ，そこでの苦労したエピソードが詳しく書かれています。また，それに加えて，著者の人生経験も記述されていて，社会に対する視野を広くもつのに参考になると思います。

「大発見というのは
終着駅ではない。
我々は1つの山の頂上に
登るとそこで発見するのは,
今まで征服したどの山よりも
はるかに高い山が,
その先にあるということだ」

電子を発見したイギリスの物理学者

J. J. トムソン

1856-1940

Joseph John Thomson

♗ 略 歴 ♗

1856 年	イギリス・マンチェスターに生まれる。
1876 年	ケンブリッジのトリニティ・カレッジに入学。卒業後,キャベンディッシュ研究所に入る。
1884 年	キャベンディッシュ研究所長に就任。
1897 年	新しい放電管を使用した陰極線の実験により,電子を発見する。
1904 年	原子モデルを発表する。これが後の原子モデルが成立していく大きなヒントとなる。
1906 年	ノーベル賞を受賞。
1940 年	83 歳で逝去。

──◆◆◆「見えない粒子」の発見 ◆◆◆──

1897年，イギリス・ケンブリッジのキャベンディッシュ研究所。物理学教授であり研究所長でもある**J.J.トムソン**は放電管の前で幾分，興奮気味につぶやいていた。

「「陰極線は曲げられないから電気を帯びた粒子ではない」とヘルツは言う。しかし彼は間違っている。陰極線が曲がらないのは真空度が低かったからに違いない。私の実験がそれを証明してみせる」

トムソンは放電管を見つめながら，緊張の面持ちで助手たちに指示を与えた。「電圧をかけなさい。落ち着いて，ゆっくりと，だんだんに」

すると電圧が加わった瞬間，陰極線は一方に向かって曲がり始めた。ヘルツでさえ成し得なかった結果が，目の前で現実のものとなったのである。

「やはり私は正しかった」

実験の結果，陰極線の正体はマイナスの電気を帯びた粒子であること，その粒子は原子より小さく，さらにすべての物質に例外なく含まれているものであることが，トムソンにははっきりと確信できた。この粒子こそ今日，「電子」と呼ばれる存在であり，20世紀物理学の根幹をなす発見だったのである。

電子発見の年，1897年。トムソン，40歳だった。

トムソンは，研究者や学生からは親愛を込めて「J.J.」と呼ばれていました。彼の息子さえトムソンのことを「J.J.」と呼んでいたほどです。いかにも学者然とした風貌にもかかわらず，穏やかな性格とユーモラスな人柄だったというジョセフ・ジョン・トムソン。
今回は，電子の発見という歴史的業績を残した物理学者トムソンを紹介します。

J. J. トムソンは，1856年12月18日にイギリスのマンチェスターで生まれた。父親は本屋を営んでいたが，トムソンが16歳のときに亡くなった。

マンチェスターは工業都市ですから，トムソンも始めは工業技術者になるつもりでいました。そのため技術者の見習いになろうと思ったのですが，その頃，父親を亡くしてしまいます。当時は，技術者の見習いになるにはかなりのお金がかかったので，奨学金を獲得して進学する道を選びました。

1876年，20歳でケンブリッジのトリニティ・カレッジに入学。天才物理学者ニュートンが学んだところである。卒業時には学内で2番目という成績だった。

卒業後，トムソンはキャベンディッシュ研究所で本格的に物理学の研究を始めた。この施設は名門貴族キャベンディッシュ一族の寄付によって作られた研究所である。この一族の先祖には，世にもユニークな18世紀の科学者ヘンリー・キャベンディッシュがいた。

ヘンリー・キャベンディッシュは人付き合いを極端に嫌い，人前にはほとんど姿を見せないという謎の多い人物だった。彼は有り余る財産で広大な屋敷に専用の実験室を作り，膨大な実験記録を残した。未発表の記録には，電気や熱，気体などに関する革新的な実験が繰り広げられていたとある。

さて，こうして研究者としてのスタートを切ったトムソンですが，なんと28歳の若さで，研究所の所長になってしまいました。

なぜ彼が選ばれたのか，詳しい理由は知られていない。教授たちの中には「子どもを所長に選ぶなんて」と嘆く者もいた。そのうえトムソンは生まれつき手先が不器用で実験も上手とは言えなかったため，こうした経験不足を危ぶむ声も多かったのである。

図11.1 キャベンディッシュ研究所[1]

© RichTea

キャベンディッシュ研究所の初代所長を務めたのは，電磁波の研究で有名なジェームズ・マクスウェルでした。ですから，ほとんど無名の若者が3代目所長というのは，大抜擢だったのです。

　1890年，トムソンはパジェット教授の娘，ローズ・エリザベス・パジェットと結婚。研究の傍ら大学教授として学生に講義も行った。教育者としても優秀で，学生の1人は当時をこう振り返っている。

「彼の講義はわかりやすく，どんな学生も退屈させることがない。話し言葉も明晰で，大声でよく通り文法的にも整っていた。トムソンの講義に肩を並べられる者はいなかった」

トムソンは教育者としてまた研究者として順調なスタートを切りました。所長という地位を得たことで研究にも拍車がかかり，やがて冒頭で紹介した大発見につながっていきます。
その様子を紹介する前に，当時の物理学会で話題となっていた「真空放電」と「陰極線」について，簡単に振り返ってみましょう。

真空放電と陰極線

18世紀前半, 空気を抜いて密閉したガラス容器に帯電した物質を接触させると, ガラス容器の内部がぼんやり光ることが発見された(図11.2)。この現象はその後, 研究が進められ真空放電の発見に結びついた。

また, ガラス管に2枚の金属板を入れる。金属板に電圧をかけると内部に気体がある間は, 電流は流れない(図11.3 (a))。しかし気体を抜いて中を真空に近づけていくと, マイナスからプラスへ向けて電流が流れ始める(図11.3 (b))。これが「真空放電」である。真空放電によって発生したこの光の線はマイナス, つまり陰極から流れ出すことから「陰極線」と呼ばれている。

空気を抜いて密閉したガラス容器

帯電した物質

図11.2　真空のガラスに帯電物質を接触させると光る

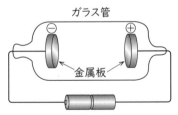

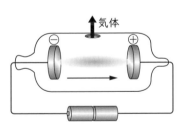

（a）　ガラス管に気体があると
　　　電流は流れない

（b）　ガラス管の気体を抜いて真空に
　　　近づくと電流(陰極線)が流れる

図11.3　真空放電

フランスやドイツの研究者たちは，これが放射線の一部ではないかと考えていた。電磁気学の大御所的存在だったドイツの物理学者ハインリッヒ・ヘルツは，2枚の金属板を使って陰極線を曲げる実験に取りかかった。

　平行に置かれた金属板を帯電させ，その間に陰極線を通し，金属板に加える電圧を変化させることで陰極線の進む方向を曲げてみようと考えたのである。しかし結果は，陰極線が曲がることはなかった。そのためヘルツは「陰極線は電気を帯びた粒子ではあり得ない」と結論を出していた。一方，陰極線は粒子であると考えていたトムソンは，ヘルツの実験に疑問を抱いていた。

「おそらく，ヘルツの実験は放電管内の真空度が低かったのだろう。そのため陰極線の進路を変えられなかったのではないだろうか」

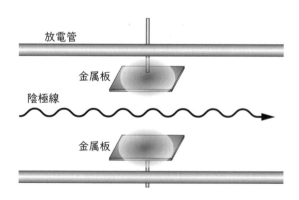

図11.4　ヘルツの実験
陰極線が電圧の変化で曲がると想定されたが曲がらなかった

電子の発見

　1897年，トムソンは新しい放電管で実験に取りかかった。自分の仮説を実証するには，内部の空気を可能な限り真空に近づける必要があると考えたからである。研究所で改良を重ねて作られた新しい放電管は，実験用として当時最高の出来栄えだった。果たして陰極線は曲げることができるのか。トムソンは助手たちに注意深く指示を与え，放電管を見つめていた。

「電圧をかけなさい。落ち着いて，ゆっくりと，だんだんに」

　トムソンと助手たちの視線は放電管に集中した，すると予想どおり陰極線は一方に向かって曲がり始めたのである。

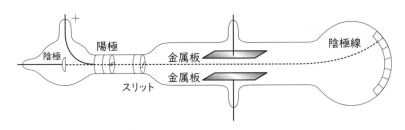

図11.5　トムソンの実験装置

「やはり私は正しかった」

　トムソンはさらに実験を続け，陰極線がマイナスの電荷をもった粒子であること，その粒子の質量は当時知られていた水素原子の重さの約 1/1,000 であることも突き止めた。それはまさしく，陰極線の正体が明らかにされた瞬間だった。

　トムソンは，陰極の材料や放電管の中の気体の種類をいろいろ変えてみたところ，粒子の質量と電気量の比率がいつも一定であることから，この粒子はすべての原子の内部に存在するに違いないと結論しました。この粒子こそ，現在「電子」と呼ばれているものだったのです。

トムソンはこの業績により1906年，ノーベル物理学賞を受賞した。キャベンディッシュ研究所で育ったノーベル賞受賞者の第1号であり，その後30人近くの受賞者を輩出する研究所の輝かしい先駆けでもあった。

みなさんが何気なく毎日見ているテレビ。以前はブラウン管に画像が映る仕組みでした。これは，このときトムソンが実験に使った仕組みとまったく同じ原理なんですよ。
このほかにも，粒子の動きを調べる加速器や，電子顕微鏡など，さまざまなところでトムソンの実験装置の原理は応用されています。

だが，トムソンの完璧な実験報告にもかかわらず，依然電子の存在を疑う学者は多かった。どんな顕微鏡を使っても見えない存在など信じるわけにはいかないと言うのである。この論争にピリオドを打ったのが，トムソンの弟子チャールズ・ウィルソンが作った「霧箱」と呼ばれる実験装置だった。

© Thesupermat

図11.6　ウィルソンの霧箱（レプリカ）[2]

「私は，スコットランドの丘にある天文台で数週間を過ごした。そのとき，山の上にかかる雲に太陽の光が当たってできる素晴らしい光景や太陽の周りのコロナ，不思議な動きを見せる雲や霧。こういったものを実験室で再現したいという衝動に駆られたのだ」

ウィルソンは初めは気象学的な興味から実験室で雲や霧を作ろうとしたが，これが思いがけない方向に発展した。

　雲や霧の水滴は空気中のホコリなど小さな粒子を核にしてできる。しかし，ウィルソンはホコリがなくても，箱に満たした水蒸気を急激に膨張させると水滴ができるという事実に注目した。この原理を使って電気を帯びた粒子が水蒸気を詰めた箱に飛び込むと，粒子の飛び跡に沿って霧が発生する装置を作り出した。これが「ウィルソンの霧箱」である。この飛び跡の分析から，粒子の特性を決定することが可能となった。

　「霧箱」は，単にトムソンの電子を目に見えるものにしただけではなく，新しい粒子の発見や粒子の反応を調べる強力な武器として，原子物理学を急速に発展させたのである。こうした功績によりウィルソンは，1927年にノーベル賞を受賞した。

28歳の若さで研究所の所長に就任したトムソンは，電子の発見によって初代所長のマクスウェルに引けを取らない大物となりました。
そして電子の発見はトムソンを次のステップに進ませました。それは原子モデルの構築でした。

原子モデルの提案

　1904年，トムソンは原子の姿を図11.7 (a) のような形でイメージし発表した。プラスの電荷をもつ物質の中に，マイナスの電荷をもつ電子がスイカの種のように点在しているというものである。

　現在では，トムソンの一番弟子だったアーネスト・ラザフォードが発見した原子核を中心として，その周囲を電子が回っているモデルが正しいと考えられている（図11.7 (b)）。しかし，この原子モデルが成立した背景には，トムソンの原子構造に関する考察が大きなヒントになっていたと言われている。

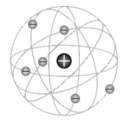

（a） トムソンの原子モデル　　　（b） ラザフォードの原子モデル

図11.7　トムソンとラザフォードの原子モデル

電子の発見や原子モデルの構築など，次々と研究対象を広げていく姿は，随分と厳格な学者像を思い浮かべがちですよね。しかし，トムソンは全然そうではありませんでした。
スポーツは見るのもやるのも大好き。特にゴルフは熱中しました。週に一度は必ずゴルフ場に出かけ，裏庭にはゴルフを科学的に研究するための小屋を建ててしまったほどです。小屋の中には空気中を飛ぶゴルフボールをシミュレートする熱電線の実験装置を作り，流体力学の研究者と一緒にボールの飛び方，なかでもバックスピンについて深く研究したそうです。

　バックスピンとは，ボールの下の部分を打って回転させながら飛ばす方法である。適度なスピンがかかると少し高めにボールが飛び，飛距離も延びる。スピンが小さかったり大きすぎたりすると，思うように飛距離は出ない。これらはクラブとボールが当たる部分や，力加減をいかに調整するかによって左右される。こうした研究をトムソンは1910年，科学雑誌に発表した。

物理学のトップに君臨しながら趣味のゴルフに熱中して論文まで書き上げるなんて，彼の懐の深さが感じられますよね。ほかにも彼の人間性を知るエピソードがあります。
イギリス人は一般的にティータイムを大事にするといいますが，トムソンと研究員たちのティータイムは少し変わっていました。なにしろ物理の話は一切ご法度で，そんな話題を口にしようものならみんなから軽蔑されたぐらいです。

トムソンはいつも話の中心にいて，幅広い知識とたくみなユーモアで周りをリラックスさせました。ティータイムが終わりに近づくと，トムソンはわざと誰かに「最近研究の状況はどうですか」と聞いて，解散の合図にしていたそうです。

トムソンの影響

　1914年，第一次世界大戦勃発。研究所の人間も次々と戦地へ駆り出された。戦時下での明るいニュースといえば，トムソンが面倒を見ていた若き秀才ローレンス・ブラッグが最年少でノーベル賞を受賞したことだった。対象となった研究はX線による結晶解析。しかしローレンスが受賞を知ったのは戦地という厳しい状況だった。

　戦争が終わると，長年務めてきた所長の座をラザフォードに譲り，トムソンはケンブリッジ大学の学長に就任した。このとき出したトムソンの条件はただ1つ。研究所に自分専用の研究室を残し，好きなときにそこで研究をさせてくれないかというものだった。一番弟子だったラザフォードは快く承諾した。

　そのラザフォードが66歳のとき不慮の事故で急死すると，トムソンの周囲は寂しくなった。トムソンも体の自由が利かなくなり始めていたが，それでも毎日のように研究所では入り口をくぐり自分の部屋へと消えていくトムソンの姿が見られた。

　そして1940年8月30日，電子の発見者として偉大な功績を成し遂げたJ.J.トムソンは，静かにこの世を去った。83年の生涯だった。世界が第二次世界大戦の悲劇に巻き込まれる，まさにその直前だった。

トムソンが28歳でキャベンディッシュ研究所の所長に就任した頃，研究員は20人ほどでした。それが彼の在任中に200人を超える大所帯になったそうです。原子物理学が急激に時代の中心になったという背景もあったのでしょうが，トムソンの人間性が強い推進力になったことは間違いなさそうです。トムソンは，ほとんどその死の直前まで明晰な頭脳を保っていたと言われます。そして，いつも未来を見つめていました。彼の残した言葉から，その理由が感じられます。

「大発見というのは終着駅ではない。我々は1つの山の頂上に登るとそこで発見するのは，今まで征服したどの山よりもはるかに高い山が，その先にあるということだ」

日本大学
名誉教授　西尾　成子

（西尾先生）「20世紀の初頭は，現代物理学の革命と言われている時代です。アインシュタインとかマリー・キュリーが有名ですが，ほかにもきら星のように沢山の英雄が出てきます。

　J. J. トムソンはそのうちの1人です。古代から考えられてきた「原子」は，19世紀の終わり頃には自然現象を説明する非常に有効な仮説になりました。その原子が実際に存在するということは20世紀の初頭に確認されるのですが，その構成要素である電子の存在のほうが先に確認されました。それを行ったのが，J. J. トムソンです。1897年のことです。彼は，真空放電で陰極から陽極のほうに向かって進む放射線（陰極線と呼ばれます）を電場と磁場で曲げることに成功し，陰極線が金属箔を通り抜けることから，陰極線が負に帯電した微粒子（電子）からなると結論したのです。

　当時は原子より小さい粒子があるなんてとても考えられないことでしたが，トムソンはさらに，原子中での電子の配列を考えることで，周期律を説明する可能性を示しました。J. J. トムソンの原子モデルとして知られています。電流とは何かということも，はっきりしたと言えます」

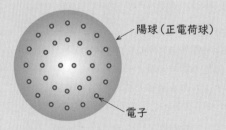

陽球（正電荷球）

電子

図11.8　J. J. トムソンの原子モデル

トムソンの発見は物理学に革命を起こすような独創的なものだったのですが，彼は最初から絶対的な自信をもっていたのでしょうか？

（西尾先生）「原子より小さな粒子というのはとても考えられなかったわけで，トムソンは躊躇したようですが，実験結果（陰極線が負に帯電した粒子で，その質量は水素原子の約1,000分の1と予想されること，金属箔を通り抜けられること）からはどうしてもそう結論せざるを得なかったと，思い出話に書いています」

柔軟なものの考え方こそ，新しい発想を生み出すのかもしれませんね。それに，実験的な確かな裏づけがあったということですね。

現代物理学

江沢 洋 著，朝倉書店（1996）

20世紀初頭に始まる現代物理学の入門書です。著者はこの中で現代物理学における電子の発見のもつ意味を説き，J.J.トムソンによる電子発見の実験装置とその原理を原典に基づいて解説しています。この本はもともと放送大学ラジオ講座『現代物理学1』のテキストとして書かれたものですので，高校生，大学初年生，一般の方々にとって非常にわかりやすく，また正確でもあります。

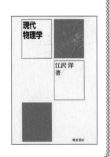

「各々の科学の主目的は
　その中に生じるすべての理論を
　唯一のものに融合させることに
　存する」

「量子力学」理論の開拓者
マックス・プランク

Max Planck

1858-1947

🎖 略歴 🎖

1858 年	ドイツ・キールに生まれる。
1875 年	ミュンヘン大学に入学し，物理学を学ぶ。
1885 年	キール大学の物理学教授となる。
1892 年	ベルリン大学の教授となる。1890 年代後半から熱放射の研究に取り組む。
1900 年	熱放射公式を発表する。
1913 年	ベルリン大学の学長に就任。
1918 年	ノーベル賞物理学賞を受賞。
1947 年	89 歳で逝去。

─━「熱放射公式」の誕生━─

　時代が19世紀から20世紀に移ろうとするまさにその変わり目，1900年の秋。ベルリン大学物理学教授のマックス・プランクは長い理論的追求の果てにたどり着いたひとつの実験式を前に，しばらく呆然としていた。それは熱放射に関するものだった。

　物は熱せられると光を出す。どんな温度のとき，どんな種類の光が，どんな状態で分布するのか。この関係を調べるのが熱放射の研究である。プランクはすでに何年もこの研究に取り組んでいた。しかし…

「光のエネルギーは最小単位の整数倍の値しか取れず，不連続なものとなってしまう。そんな途方もないことがあり得るのだろうか？」

　1900年12月14日，プランクはこの実験式を使った熱放射公式を学会に発表した。しかし出席者のほとんどは関心を示さなかった。プランク自身でさえこの実験式のもつ重要性を図りかねていたのである。それに続く数週間，プランクはこの実験式のもつ意味をひたすら考え抜いた。そしてある日，息子のエルヴィンと散歩中プランクは急に立ち止まり，力強い声でこう言った。

「エルヴィン。お父さんはコペルニクスにも匹敵するような大発見をしたよ」

　プランク，このとき42歳だった。

マックス・プランクといっても，一般の人にはすぐにピンとくるような名前ではないかもしれませんね。しかし現代物理学，なかでも「量子力学」を語るうえでは決して欠かせない人物なのです。それは単に学問上の業績だけではありません。人間としての生き方そのものが与えた影響も欠かすことのできないものだったのです。いったい彼はどのような人生を送り，そこにはどんなドラマがあったのでしょうか。
今回は，量子力学誕生の陰に隠されたマックス・プランクの生涯をたどってみましょう。

物理学に魅了された大学時代

マックス・プランクは1858年4月18日，ドイツのキールという町で生まれた。祖父は神学者，父親は法学教授，母親は牧師の娘という家庭環境の中で育った。

どこから見ても学者か牧師以外には見えないプランクの風貌は，家庭環境から来たのは間違いなさそうですね。しかし，高校生ぐらいまでは成績が飛び抜けて良かったわけでもなく，物理学にもあまり関心をもっていなかったそうです。

物理学に興味をもったのはミュンヘン大学に入学してからである。強固な法則性によって支配される物理学の世界は，生真面目な性格だったプランクにとって高尚な学問と感じられたのである。

この頃の物理学は新しい発見もあまり見当たらず，学校でも高い評価を与えられていないような状況だった。しかし物理学に真剣に向き合うプランクの姿勢は，ほかの研究者とは一線を画すものであった。

「私が望むものは新しい発見ではない。すでに固められた基礎を理解し，それを深めることだけだ」

こうした控えめな姿勢が古典物理学の基礎をひっくり返すような発見につながったのですから，わからないものですね。

ベルリン大学で熱の研究を開始

1885年に27歳でキール大学に招かれ，さらにその4年後ベルリン大学に赴任。学者として順調な歩みを続けていた。

その頃ドイツ帝国は，工業を盛んにしようと必死だった。工業には鉄の生産が

欠かせない。溶鉱炉で生産される鉄の品質は正確な温度管理によって左右される。しかし，鉄が溶けるような数千度の温度を計測する温度計など存在しない。そのため多くの職人は，鉄が焼ける色を目で見て温度を調節していた。職人の経験に頼っていた温度管理だったが，加えられる熱と鉄の出す光の関係を科学的に把握することは時代の要請でもあったのである。

プランクが，当時一番力を入れたのは熱に関する研究でした。物は熱せられると光を出しますが，人間はその光を色として認識しています。そしてこの光は「熱輻射」または「熱放射」と呼ばれています。
1890年代後半から，プランクはこの熱放射の研究に本格的に取り組みます。この研究には「黒体」という実験装置が使われました。

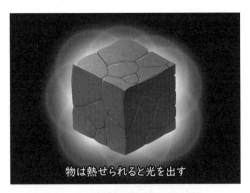

物は熱せられると光を出す

図12.1　「熱輻射」または「熱放射」

「黒体」とは，光の色と温度の関係を調べる黒い箱である。この箱に熱を加えると内部で光が放射と吸収を繰り返す。この光のスペクトルを温度ごとに調べて行けば，ある温度でどんな振動数の光がどれだけの強さで含まれているかがわかる。色のついた箱では箱の色に応じた光を発するため実験には使われない。黒い箱は温度に応じた光を発するため，熱と光の関係を調べるのに都合が良かったのである。

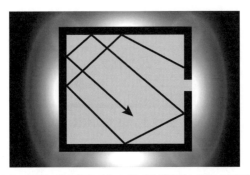

図12.2　黒体に熱を加えると内部で光が放射と吸収を繰り返す

この黒体の装置を考えたのはドイツのヴィルヘルム・ヴィーンという学者ですが，彼はプランクの古くからの友人でもありました。ヴィーンもそしてイギリスの物理学者レーリー卿も熱放射に関する公式を発表したのですが，実験結果と合致するのは一部だけで完全なものではなかったのです。

　プランクはヴィーンとレーリー卿の公式を踏まえ，放射される光について説明のできる公式を追い求めた。理論を考えては実験結果と照合し，合わなければ再び理論を組み立て直す。こうした試行錯誤を繰り返した結果，やがてプランクは1つの実験式にたどり着いたのである。

　その実験式とは，$E = h\nu$。E は光のエネルギーを表し，h がプランク定数と呼ばれる数値となる。そして ν（ニュー）は振動数を表している。この式は，光のエネルギーは振動数にプランク定数を掛けたものに等しいことを意味している。プランクはこの式を使って熱放射に関する実験を重ねた。その結果，実験によって得られた光のエネルギー分布とプランクの実験式は完全な一致を示したのである。熱放射に関する研究は，ここでひとつの決着を迎えた。

図12.3　熱放射の公式

もしここでプランクが立ち止まったら，熱放射公式の考案者という名誉は残っても，偉大な物理学者という評価は残らなかったでしょう。プランクはそこからさらに一歩を踏み出し，物理学の裾野を広げていきました。そしてその一歩こそ，彼自身も予想していなかった量子力学の新しい時代を開くきっかけとなるのです。その様子はひとまず置いて，再びプランクの人生を追ってみましょう。

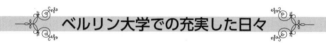

ベルリン大学での充実した日々

　1913年，プランクはベルリン大学の学長に就任した。55歳のときである。就任するとすぐにアインシュタインを教授に迎え入れた。プランクはアインシュタインの才能を以前から高く評価していたのである。

　彼のもとにはアインシュタインをはじめ，後に核分裂を発見するオットー・ハーンやリーゼ・マイトナー，X線回折で知られるマックス・フォン・ラウエなど，そうそうたる科学者が集まった。その理由はプランクが高潔な人格者だったことである。世俗の評価に惑わされず，不正を憎み誠実に生きる姿は，接する誰をも魅了した。プランクを中心に多くの科学者が集まるベルリンがまさに物理学の中心地となったのである。

　科学者だけではなく国民からも尊敬を集めるプランクだったが，真面目なだけの学者というわけでもなかった。

仕事を離れたときは山登りと音楽に熱中し，なかでもピアノの演奏はプロ顔負けの腕前だったそうです。自宅に親しい人を集めては度々，演奏会を開いていました。そこでプランクがピアノを，アインシュタインがバイオリンを，オットー・ハーンがテノールで歌うという具合でした。
ある音楽の夕べの後，アインシュタインと一緒に帰ったリーゼ・マイトナーがこんな思い出を語っています。

「帰りの道すがら，アインシュタインの言った突然の言葉はまったく驚きでした。「私はあなたがうらやましい。それがなぜかおわかりになりますか？」。私は驚いて彼のほうを見ました。すると彼は静かに言いました。「あなたの上司ですよ」。当時，私がプランク博士の助手だったのです」

　だが，楽しく充実した時間は長くは続かなかった。23年連れ添った妻に先立たれると，その4年後には第一次世界大戦が勃発した。長男のカールは兵隊に取られてまもなく戦死。娘のエマとグレーテは2人とも出産後の経過が悪く，若くして命を落とした。

　残されたのはフランス軍に捕虜となった次男のエルヴィンただ1人。人一倍，家族愛の強かったプランクには耐えがたい悲しみだった。

ノーベル物理学賞受賞

　戦争が終わると，1918年にノーベル物理学賞がプランクに与えられた。この頃，量子力学はすでに市民権を得ており，その扉を開いたプランクに対する評価は当然だった。

　では，あの実験式がどのようにして量子力学につながっていったのだろうか。プランクは自らが生み出した式のもつ意味をさらに徹底的に考え抜いた。そして1つの仮説を導き出したのである。

　それは「光のエネルギーには最小単位が存在し，整数倍に不連続に飛び飛びの

値をもつ」というものである。通常，物質は図12.4（a）のような連続した動きを示し，その間に無数の値を取ることができる。しかし，量子の世界では図12.4（b）のような不連続な値を取り，それは必ず整数となって中間に値は存在しない。こうした驚くべき事実をプランクは自らが生み出した式の中に発見したのである。

動きの中間に無数の値がとれる

（a）　ニュートン力学の世界

動きの中間に値は存在しない

（b）　量子力学の世界

図12.4　ニュートン力学と量子力学の世界

もちろん，こんな大胆な仮説がすぐ受け入れられるはずはありません。しかしプランクの量子仮説はその後，本格的な量子力学の誕生に向けて進んでいきます。

アインシュタインは量子仮説のうえに立って光電効果の研究を始めた。その中に光量子という概念を登場させたことで事態はさらに変わっていく。

アインシュタインに続き，デンマークのニールス・ボーアも量子仮説を使い原子内部の電子の動きを記述するのに成功した。

こうして量子力学の時代は幕を開けたのである。

新しい発見のためではなく，すでにある基礎理論を深めるつもりで物理学を選んだマックス・プランク。結果的には新しい時代を切り拓く発見者となってしまいました。まったく人の人生というものはわからないものですね。
しかし，誠実に生きるこの物理学者の晩年には，さらに思いがけない運命が待ち構えています。いったいそれは何だったのでしょうか。

戦火の中の葛藤

　1930年代に入るとヨーロッパは暗い時代を迎えた。ヒトラー率いるナチスが政権を握ると，民族浄化の名のもとにユダヤ人への迫害を始めたのである。その頃プランクはすでに70歳を超えていたが，ナチスの横暴をやめさせようとヒトラーに会見を申し込んだ。

　当時プランクは高名な科学者として国民的尊敬を集めていた。そのためヒトラーもしぶしぶ会見に応じざるを得なかったのである。

「ヒトラー総統。おっしゃることはわかりますがユダヤ人といってもさまざまです。彼らを全員隔離する前に，慎重な区別をする必要があるかと思われますが」

　言葉を選びながらプランクは訴えた。するとヒトラーは，突然怒り出した。

「私はユダヤ人が嫌いなわけではない。ただ彼らは例外なく共産主義者だ。1人残らず私の敵なのだ」

　事態は日を追って悪くなります。アインシュタインやリーゼ・マイトナーもドイツを追われ，大学や研究所もナチスの支配下に入りました。

　ナチスに同調したくはないプランクだったが立場上，公然と反対行動も取れず，まさに板挟み状態となっていた。ナチスが支配する研究所での集会で挨拶に立たされたプランクの様子を，当時の参加者はこう語っている。

「プランクは演壇に立ち，その手を中途半端な高さまで上げたかと思うとゆっくり下ろし，再び力なく上げ，か細い声を振り絞った。「ハイル・ヒトラー」と」

　第二次世界大戦が始まるとプランクも研究どころではなくなった。戦局は次第にドイツに不利となり，ついにベルリンも連合軍による激しい空爆にさらされるようになった。

　1944年2月15日，プランクの自宅は連合軍の空爆に襲われた。貴重な蔵書や日記，手紙，研究ノートなどが焼き尽くされ，かつて演奏会を楽しんだ思い出の

我が家も一瞬にして灰になった。

　プランクはロウゲッツという郊外に疎開する。86歳という高齢に加え脊髄の病気を患ったプランクは，激しい苦痛のためほとんど歩くこともできないような状態だった。

　やがてロウゲッツも戦場となり，戦火を逃れてプランクは森に隠れ，草の上で夜を明かした。行動をともにしたのは再婚相手のマルガ。彼女はその痛ましい光景をこう語っている。

「最悪だったのは年老いたマックスが耐えねばならない苦痛でした。痛みのあまり彼は一晩中悲鳴を上げていました」

　輝けるノーベル賞受賞者であり，ドイツ科学の中心として大きな尊敬を受けていた老科学者がほとんど歩けない体で戦火に追われ森をさまよう。実に残酷です。しかしさらに過酷な運命がプランクを襲いました。

　ヒトラー暗殺計画に加担したという理由で，次男のエルヴィンがナチスに処刑されたのである。前妻との間の子どもで唯一生き残っていた彼をプランクはことのほか愛していた。処刑を知ったとき，プランクは生きる気力をほとんど失っていた。

「エルヴィンは私の太陽であり，私の誇りであり，私の希望だった。どんなに言葉を重ねてもこの悲しみを表せはしない」

　やがて戦争は終わった。しかし彼に残された時間はわずかしかなかった。新生ドイツの新しい科学研究の拠点としてマックス・プランク協会が設立されると，責任者に愛弟子のオットー・ハーンが就任した。その就任を見届けたのが彼にとって最後の仕事だった。

　そして1947年10月4日，科学者として偉大であっただけでなく，人間として高い尊厳をもって生きたマックス・プランクはゲッティンゲンの病院で息を引き取った。89年の生涯だった。

年を取ると肉体も精神も若い頃ほど強靭ではなくなります。そんな老齢になって耐えがたい苦痛と悲劇に見舞われたプランクの胸中を思うと，涙を禁じえません。

しかし，彼の残した業績は本当に偉大です。量子力学の活躍する場はコンピュータをはじめ日を追うごとに増えていますが，プランクによって築かれた量子力学の基礎理論は永遠にその輝きを失うことはないでしょう。

それにしても，プランクは自分の信念に実に忠実でした。彼の言葉は簡潔で力強さが感じられます。

「各々の科学の主目的はその中に生じるすべての理論を唯一のものに融合させることに存する」

量子科学技術研究開発機構
松橋　信平

　マックス・プランクが光のエネルギーは最小単位の整数倍の値しか取れない不連続なものとなることを見出し，量子力学という新しい学問が誕生してから1世紀余り。現在の日本になくてはならないコンピュータやスマートフォンに用いられる半導体技術や，MRIなどの医療機器やリニアモーターカーに用いられる超伝導技術は量子力学を基礎としたものです。さらに最近は，量子コンピュータや量子センサなど，量子の特徴的な性質を積極的に利用した技術の開発が進められています。

　量子科学技術研究開発機構（QST）は，2016年に発足した国立研究開発法人です。「量子科学技術による「調和ある多様性の創造」により，平和で心豊かな人類社会の発展に貢献」することを基本理念に，量子生命科学，量子医学・医療，量子ビームを用いた材料科学や核融合エネルギーに関する研究開発を進めています。

　ここでは，マックス・プランクの発見に関連が深いQSTの研究を取り上げて，将来私たちの暮らしのどんなところで役立つのか紹介します。

◎**量子スマートセルによる究極の健康管理**

　量子生命科学は，「量子技術＝量子の目と手」を使って量子レベルで生命の謎を解き明かす新しい学際領域です。QSTでは，プランクが発見した物質から放出される光の量子的特徴を基礎として，ナノサイズ（1 mmの100万分の1サイズ）の極微小なダイヤモンド量子センサを開発しています。このナノダイヤモンド量子センサを生体細胞内に入れて放出される光を観測することにより，細胞内の局所的な温度，電場，酸性度などをこれまでにない精度で計測し，老化やがん化，神経活動などの複雑な生命現象を解明していきます。将来的には「監視」＋「治療」の機能をもたせた量子スマートセル（細胞）が体内をパトロールし，量子センサ搭載のウェアラブルデバイスが異常を発見した量子スマートセルを検知して，色で

提供：量子科学技術研究開発機構　　　　提供：量子科学技術研究開発機構

図12.5　量子センサ機能をもたせたダイヤモンド（左），細胞内で光るナノダイヤモンド量子センサ（右）

状態を知らせてくれることを目指します。これが実現すれば，量子スマートセルが未病状態のうちに治療を開始し病気の発症を防いでくれるため，誰でも簡単に究極の健康管理ができます。

◎**スマホは充電要らず**

　コンピュータやスマートフォンなどの電子デバイスは，現在の私たちの生活に欠かせないものとなっています。QSTでは，イオンや電子，レーザーや放射光などさまざまな量子ビームを高度に制御した高精度な加工・観察技術である量子ビームテクノロジーを駆使して革新的材料の開発を行っています。その1つが，電力消費が極めて少ない超省エネ電子デバイス用材料です。現在の電子チップは，物質内の電子の移動である電流でチップを制御しています。しかし，プランクが発見した光の量子的特徴を基礎として，光で電子のスピン（回転）という磁気的性質を操作する「スピンフォトニクス」という新技術が実現すれば，超省エネ電子デバイスのための材料創製が可能となります。将来的にはスピンフォトニクス材料が普及し，充電不要のスマートフォンが常識になることを目指しています。さらに，電子デバイスの超省電力化と同時に大量のデータ処理の両立も実現すれば，スマートフォンだけでなく，高性能な電子デバイスを次々と開発することができるようになります。

　ここで取り上げた研究開発のほかに，QSTでは地球環境に優しく安全性に優

提供：量子科学技術研究開発機構

提供：量子科学技術研究開発機構

図12.6 光でスピンを確認する共焦点顕微鏡(左)，放射光で電子スピンの状態を詳細に観測(右)

れた「地上の太陽」を実現する世界規模での核融合エネルギーの研究開発，がん死ゼロ健康長寿社会の実現に向けた量子メスの開発など，未来の社会に役立つさまざまな研究開発を行っています。それぞれの研究開発が目指すものが実現した社会を描いたものを，HPで紹介していますのでぜひご覧ください。

「量子科学技術でつくる私たちの未来」（量子科学技術研究開発機構）

➡ https://www.qst.go.jp/site/aboutqst/

読書案内

14歳のための宇宙授業 相対論と量子論のはなし

佐治晴夫 著，春秋社(2016)

理論物理学者の著者が，宇宙誕生の話に始まり，宇宙の成り立ちをやさしく解説してくれ，私たちが生きている時間空間に対する認識に大きな影響を与えてくれる1冊です。
またDVDになりますが，NHKの「神の数式」は数学の知識がなくても十分理解でき，量子の概念や性質を学ぶ良い教材です。

「実験もやり，理論もやり，
　両方を知っていなければならん。
　理論のよし悪しは
　実験によって決する」

土星型原子モデルの提唱者

長岡半太郎

Nagaoka Hantaro

1865-1950

🎖 略歴 🎖

1865(慶應元)年	長崎県に生まれる。父親は武士で，明治維新後は政府の要職に就いていた。
1874(明治 7)年	9 歳の頃，上京。小学校を落第したこともある。
1882(明治 15)年	東京大学に進学。物理学の研究に取り組む。
1890(明治 23)年	25 歳の頃，東京帝国大学の助教授になる。
1893(明治 26)年	ドイツへ留学。
1903(明治 36)年	38 歳の頃，土星型原子モデルを発表。
1917(大正 6)年	新設の理化学研究所の物理学部長（後に主任研究員）となる。
1924(大正 13)年	水銀還金事件で世間を騒がせる。
1931(昭和 6)年	66 歳の頃，大阪帝国大学初代総長に就任。
1950(昭和 25)年	85 歳で逝去。

日本生まれの原子モデル

　時代が19世紀から20世紀に移った頃，日本の物理学の状況はヨーロッパに比べ格段に遅れていた。東京帝国大学物理学教授の長岡半太郎は，今日も自分の研究室で考えごとにふけっていた。彼の頭を悩ませていたのはヨーロッパの学会で話題となっている原子の内部構造についてだった。

　長岡はふと机の上の書物を手に取った。思わず懐かしさがこみ上げてきた。それは数年前まで留学していたドイツで買い求めた物理学者マクスウェルの論文集だった。ページをめくる手がふと止まった。そのページには土星の輪について解説したマクスウェルの論文が載っていた。そのページを眺めるうちに長岡の脳裏に稲妻のようにひらめくものがあった。

「もし原子の内部構造がこの土星と似たものだとしたら，これまで知られている原子の性質の多くが説明できるのではないか」

　このひらめきが画期的な研究発表に結びつくには数年の歳月が必要だった。しかし長岡は，誰よりも早く土星型原子モデルの着想を手にしたのである。このとき，長岡30代の半ばを過ぎた頃だった。

　原子の研究についてはアーネスト・ラザフォードが有名です。彼はイギリスの実験物理学者で，物理学史上最も重要な功績と言える原子モデルを発表した人物です。
　図13.1がラザフォードの原子モデルです。原子核の周りを電子が回転している様子をこのような形で表現しました。しかしそれより数年前，同じような原子モデルを考えていた日本人がいたのです。それが今回紹介する長岡半太郎です。彼の着想は素晴らしかったのですが，残念ながらあまり注目されませんでした。いったいどうしてだったのでしょうか。
　今回は長岡の生涯をたどりながら，物理学の黎明期と言えた時代に行ってみましょう。

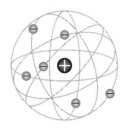

図13.1　ラザフォードの原子モデル

父の影響で西洋文化に触れる

　長岡半太郎は1865（慶應元）年，長崎県に生まれた。時代は幕末の頃である。武士だった父親は明治維新の後，政府に取り立てられ要職に就いた。半太郎は父親の影響を強く受けて育った。

　父親は岩倉具視が率いる欧米使節団の一員として海外へ出かけ，すっかり西洋の文化に魅了されました。日本に帰国すると8歳になったばかりの半太郎を呼んで，上座に座らせ手をついて謝ったそうです。

　「わしはこれまで，お前に中国の漢学ばかりを教えてきた。だが，これは間違いだった。これからは西洋文化を取り入れる時代だ。みやげにイギリスの学校で使われている教科書を買ってきた。今後はこういう本を読める場所で勉学に励むのだ」

　こうした父親の希望もあって，長岡は上京し東京の学校で学ぶことになった。しかし小学校時代の長岡は決して優秀な生徒ではなかった。進級ができずに落第してしまったのである。

　小学校を落第するような人間が優秀な科学者になるなんて，誰も思いませんよね。しかし長岡は事実，落第しました。かつて本人が当時のことを次のように語っています。

「小学校時代の話はごめんこうむりたいですな。別に欠席をしたわけじゃないし、いたずらに明け暮れたわけでもない。とにかく授業の内容がさっぱりわからなかった。ずいぶんと鈍かったんだろうね」

西洋に負けない科学研究

　小学校を落第したにもかかわらず、その後は猛勉強の甲斐あって1882（明治15）年、東京大学に進学する。だが一年を過ぎた頃、突然休学届を出し学校に通わなくなった。その頃、長岡の心には東洋における科学の歴史を研究したいという思いが芽生え始めたからである。

　この頃から、いかにも長岡らしい独自の研究方法が始まった。

「科学研究は確かに西洋が進んでいるが、それを後から追っかけるのは日本人としての誇りを傷つける。東洋人でも西洋に対抗できる独創的な研究ができるはずだ。これらを踏まえたうえで西洋の科学を勉強しても遅くはない」

そんな具合です。そのために一年の休学をするというのですから、やることが徹底していますよね。

　その後、長岡は本格的に物理学の勉強を開始した。しかし当時の日本の物理学はようやくよちよち歩きを始めた段階で、教える講師はほとんどが外国人だった。講義を聴きながら長岡は、「いつかこうした状況を逆転させてやる」と心に誓った。

　その後、長岡は大学院に進みさまざまな研究に意欲を燃やす。なかでもイギリスの物理学者によって発見された磁気ひずみについて、長岡はさらに研究を進めた。

　磁気ひずみとは鉄などの磁性体に磁力が作用することで、その磁性体が変形を起こす現象である。中心に鉄の原子、その周りに磁気、それらの周りを希薄な電気が包んでいると仮定する（図13.2 (a)）。このとき、磁気誘導作用がこの原子に加えられると、磁気が原子の片側に集まり鉄はゆがんだ状態に変形する（図13.2 (b)）。

　長岡はこれらを実験で検証し、補足を加えた論文を完成させた。また地震に関

する研究にも力を注ぎ，日本の地球物理学の誕生に影響を与えたのである。

電気

磁気

（a）通常の状態　　（b）磁気誘導作用を加えた状態

図13.2　磁気ひずみ

土星型原子モデルの発表

25歳のとき長岡は大学の助教授となり，その2年後には結婚して家庭をもちました。長岡はますます張り切り，長男誕生の直後ドイツ留学へ旅立ちます。

　留学の地ドイツでは，レントゲンが発見したX線が物理学会の話題を集めていた。この発見はまもなく近代物理学に革命的な変化を与えることになる。X線発見のニュースは長岡も深い関心を寄せた。長岡はその後も最新の研究や発見を耳にすると，ただちに日本に伝えた。

　また長岡はマクスウェルの論文集を買い求めた。電磁気学の集大成ともいえるマクスウェルの研究に長岡は深い感銘を受けた。だが，この書物が後に長岡の研究に重要な役割を果たすことになるとは知る由もなかった。

帰国した長岡は教授に昇進し，本格的に原子の問題に取り組みます。ところで原子の構造は当時どのようなものとして捉えられていたのでしょうか？

原子の構造については，イギリスの物理学者ケルヴィン卿が1つのモデルを提唱していた。それは，プラスの電荷をもった均一な物質の中に，マイナスの電荷をもった電子がバラバラに存在するというものだった。

図13.3　ケルヴィン卿の原子モデル

　しかし，長岡は納得がいかなかった。何度も計算を繰り返した結果，ようやくたどり着いたのがマクスウェルの本に載っていた土星の輪だったのである。

　マクスウェルは25歳のとき，土星の輪について次のような論文を書いた。「土星の輪は固体でも液体でもなく，無数の小さな衛星が周りを運動している。それが壊れないで形を保っているのは，衛星が互いの引力で引き合いながら回転するとき，1つの平面上に並んで運動すると安定が保たれるからだ」と結論づけたものだった。

　そこで長岡は1つの仮説を考えた。中央に土星のようなプラスの電荷をもった球が存在し，土星を回る衛星のような電子が球の周りを運動していれば，原子の安定は保たれるのではないか。それはまさしく，土星型原子モデルと言えるものだった。

　1903（明治36）年，38歳のとき長岡は日本でこの原子モデルを発表し，翌年には外国の雑誌にも論文を掲載した。このモデルこそ，今までわからなかった原子に関する多くの謎を説明できると長岡は主張したのである。

　長岡の論文が発表された直後，イギリスのケルヴィン卿が考えた原子モデルをさらに精密化したものがJ.J.トムソンによって発表された。これによって，電子はプラスの電荷をもった球の中を回っているのか，それとも外を回っているのか，

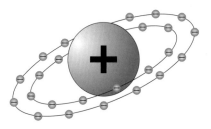

図13.4　長岡が考えた土星型原子モデル

まったく違う2つのタイプが主張された。

　1911（明治44）年，アーネスト・ラザフォードが実験によって原子核の存在を証明したとき，真実は明らかとなった。長岡のモデルが正しかったのである。だが発見者としての栄光を長岡が手にすることはなかった。ラザフォードは原子核の存在を突き止めた当時，長岡の原子モデルについては知らなかったと主張。現在でも正確な原子構造を解明したのはラザフォードとされている。

長岡の原子モデルが世界的に注目されなかったのは，なぜだったのでしょう。
理由の1つは，「このモデルは将来，本当の原子構造を完成させるための1つのヒントにすぎない」と，長岡自身がかなり控えめな主張をしていたためです。ほかにも，科学の先進国であるはずのない東洋の島国から，そんな重大な発見がなされるなんて当時の西洋人たちは認めたくなかった，ということも理由の1つにあったのかもしれません。

　長岡はその後も原子の問題に関心を寄せていたが，新しい発見や理論を発表することはなかった。デンマークのニールス・ボーアを中心とする原子核の追求が物理学の主流となり，やがて核物理学が誕生する。こうした流れの中で，長岡は若き物理学者たちを指導する立場へと変わっていった。

　自分が提唱した原子モデルは，世界の物理学に大きな影響を与えることはできなかったが，それでも長岡は，研究を通じてはっきりと未来を見据えていた。今

からおよそ100年前，長岡は新聞でこう述べている。

「もし，原子に蓄積された莫大な力を支配することができたら，蒸気に代わるエネルギーとしてのみならず物体を打ち壊すことにも，その力を用いれば十分に事足りるであろうと思われる」

　まさに現代を予言したような言葉だった。

雷オヤジの後継者育成

ところで，日本の物理学の第一人者となった長岡ですが，大学で教授職を務める一方，新たに設立された理化学研究所にも籍を置きます。ここで長岡は自分の研究に加え，後進の指導にも力を注ぎました。これまでも強烈な個性で自分流を貫いてきたのですが，この頃から何かあるとすぐに怒り出す「雷オヤジ」と呼ばれるようになりました。研究所の助手が経験したこんなエピソードがあります。

　ある日，長岡の部屋から大きな声が響いた。

「この大馬鹿者!!　いったい何を考えてるんだ，まったく!!」

　廊下にいた1人の助手が恐る恐る部屋に近づいた。また誰かが怒られていると思ったのである。部屋を覗くと，なぜか長岡の姿しかない。不思議に思った助手がよく見てみると，長岡は学術誌を読んでいた。すると再び…

「この馬鹿者が。間違ったことばかり書きおって!!」

　長岡は学術誌に向かって悪態をついていたのである。

長岡の性格をよく表したエピソードですが，彼には形式や官僚主義を嫌うという一面もあったようです。
形式主義に対する反発は，日本の学問の閉鎖性を打ち破りたいという，長岡の強い思いの表れでもありました。彼は，しばしばこんなことを口にしています。

「外国においては研究者が相対立して議論するも，その場が終われば和気あいあい。それに引き換え我が国では，一度意見の相違をきたせば私事の交わりにまで影響を及ぼすに至る。実に忌まわしき欠陥なり」

　また，長岡はラザフォードの研究室を訪れたとき，その設備の質素なことに驚き，深い感銘を受けたという。

「頭脳から出たものでなければ世界を驚かすような発見はできぬ。一に研究者，二に研究者，三に研究者そして四に研究設備」

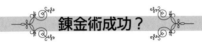 錬金術成功？

　1924（大正13）年，大学教授の定年が近づいた頃，当時の新聞を騒がせた1つの事件が起こる。水銀還金事件である。「ついに解かれた永遠の謎」「水銀から金を抽出」「長岡半太郎博士の大発見」など，センセーショナルな見出しが新聞の一面に踊った。

> なにしろ物理学の最高権威が錬金術に成功したというのですから，世間が騒ぐのも無理はありません。

　長岡はその後もこの実験を続けたが，さしたる成果は上げられなかった。

　66歳になった長岡は大阪帝国大学の創立に取り組み，初代総長に就任した。若い助手からは雷オヤジと恐れられた長岡だったが，研究熱心な若者には温かい声援を送った。中間子論を発表する以前の湯川秀樹（ゆかわひでき）も，長岡の世話になった1人だった。

　そして1949（昭和24）年，84歳になった長岡は嬉しいニュースを知った。かつて面倒を見ていた湯川秀樹が，日本人として初めてノーベル物理学賞を受賞したのである。湯川が帰国して歓迎会が開かれたとき，長岡は主催者から壇上の来賓席に座ってくださいと頼まれた。これに対し長岡は次のように言った。

「湯川の話が聞きたい。あそこではよく聞こえぬ」

　最前列の記者席に座った長岡は幸せそうな笑みを浮かべ，湯川の話を聞いていた。日本の物理学を引っ張り後継者を育てた長岡だったが，まもなく最期のときが近づいていた。

　その日，長岡は書斎で地球物理学の本を開いていた。しかし突然気分が悪くなりソファーに横になると，そのまま目を開くことはなかった。そして1950年（昭和25）12月11日，長岡は脳出血で帰らぬ人となった。85年の生涯だった。

明治という時代は，次々とスケールの大きい人間を生み出しました。世界に飛び出した北里柴三郎や野口英世，高峰譲吉といった科学者たちです。
しかし長岡は，活躍の場こそ国内が中心でしたが，決して彼らに引けを取ることはないでしょう。誰にも負けない強烈な個性と大胆な実行力。何かを成し遂げようとするには，周りの顔色をうかがうような人間では難しいのかもしれませんね。
西洋への対抗意識から自分流を貫いた長岡ですが，研究への意欲は熱く燃えていました。彼はこのような言葉を残しています。

「実験もやり，理論もやり，両方を知っていなければならん。理論のよし悪しは
　実験によって決する」

世界と勝負した物理学者

一橋大学大学院言語社会研究科　准教授
元 国立科学博物館理工学研究部　研究主幹　　有賀　暢迪

　明治から大正の時代にかけて日本の物理学研究をリードした人物，それが長岡半太郎です。研究の対象は原子から地震までと実に幅広く，特に1903年に発表した原子モデル（原子はどのような構造をしているかという学説）で有名です。

　長岡が生まれたのは1865年，幕末でした。大村藩（現在の長崎県の一部）の士族の家柄で，父親が明治新政府の役人に取り立てられたことから，幼いとき東京に移り住みました。この父親は開明的な人物で，新しい時代に息子を活躍させようと英語など高度な教育を受けさせました――もっとも，半太郎は小学校で落第したそうですが。やがて1882年（明治15年），半太郎は東京大学理学部に入学。さらに進級して，物理学科で学ぶことになりました。

　当時，大学というのは日本に東京大学しかありませんでした。理学部物理学科に在籍していたのは1学年にせいぜい2, 3人で，それがつまり日本で物理を専攻する学生全員でした。教員のほうも，日本人の教授はアメリカ留学経験のあった山川健次郎（やまかわけんじろう）ひとりで，ほかには外国から招かれた「お雇い外国人」と呼ばれる教師がいました。当然，授業は英語で行われました（図13.5）。

　そのような時代でしたから，物理学者になることにためらいがあったとしても不思議はありません。そもそも，ほんの15年ほど前まで日本に物理学というものはなかったのです。長岡は実際，「東洋人に科学ができるのか」という根本的な疑問をもっていました。しか

提供：国立科学博物館

図13.5　山川健次郎による講義を受講したときのノート

し，中国の古典に自然科学的な事柄が記されているのを読んで自信を得たのだといいます。

その後の長岡の人生は，「東洋人にも科学ができる」ことの証明となりました。大学ではただ講義を聴くだけでなく，お雇い外国人の科学者であるノットや，助教授で物理学科の先輩に当たる田中舘愛橘らとともに，日本全国の地磁気測定に取り組みました。またノットからは，磁気ひずみという現象を実験室で調べる研究課題を与えられ，これが長岡の最初の学術論文になりました。後のことになりますが，長岡は1900年にフランスで開かれた物理学者の国際会議に招待され，磁気ひずみについて講演しています。このときアジアから招かれたのは，長岡ただひとりでした。

1893年（明治26年）に博士号を取ったあと，長岡は，物理学研究の本場であるドイツに3年半ほど留学しました（図13.6）。ここでは，世界最高峰の科学者たちから数学を駆使して研究する方法を学びました。冒頭で紹介した原子モデルは，そのやり方で帰国後に取り組んだ研究です。長岡のモデルは，原子の中心にプラスの電気があり，その周囲をマイナスの電気をもつ多数の粒子が回っているというものでした。今から見れば方向性は合っていたといえますが，西洋の科学者たちの反応は賛否両論でした。

提供：国立科学博物館

図13.6　ドイツ留学時代の長岡半太郎

長岡はその後も生涯にわたって研究を続ける一方，大阪大学の初代総長など，重要な役職を数多く務めました。そして，科学者ならば国際的に評価される研究をすべきだという思いから，弟子や若者を叱咤激励し続けました（図13.7）。まさに，世界と勝負した物理学者だったと言えるでしょう。

提供：国立科学博物館

図13.7　教え子に当たる物理学者たちと
（左から長岡，石原純，本多光太郎，日下部四郎太）

岩波科学ライブラリー
文明開化の数学と物理

蟹江幸博・並木雅俊 共著，岩波書店（2008）

江戸時代が終わって明治時代になると，西洋の科学が本格的に日本に入ってきます。この本は，そうした時代に数学や物理を日本で広め，発展させようとした人たちの物語です。本書の最後の第七章が「長岡半太郎による飛躍」となっているほか，第六章では長岡が学んだ山川健次郎と東京大学物理学科について書かれています。

「私は，ノーベルとともに，
　人類は新発見から，
　悪よりも善を多く得るだろう，
　と考える者のひとりです」

ノーベル賞を二度受賞したラジウムの発見者

マリー・キュリー

1867-1934

Marie Curie

略歴

1867 年	ポーランド・ワルシャワで生まれる。進学するため姉と留学計画を立てる。
1891 年	パリ大学理学部に入学。ピエールと出会い，後に結婚する。
1898 年	放射線元素のポロニウム，ラジウムを発見。
1902 年	ラジウムを取り出すことに成功する。
1903 年	ノーベル物理学賞をピエールとともに受賞。
1906 年	ピエールが不慮の交通事故により急逝する。
1911 年	二度目のノーベル賞として化学賞を受賞。
1914 年	第一次世界戦争中，自ら X 線診断車に乗って兵士の救護に当たる。
1934 年	白血病で倒れ，66 歳で逝去。

闇の中に輝く希望

「灯りをつけないで」

1902年3月28日，夫婦でもある2人の科学者は，3年9か月の苦闘の末に手にした奇跡の元素を目の前に興奮を隠すことができなかった。

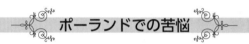
2人の目の前にある闇の中で青白く美しく光る物質。これは2人が発見した放射能をもつ物質「ラジウム」です。妻の名前はマリー・キュリー。これからみなさんに紹介するのは，人間の幸福を心から願った，本当に尊敬できる1人の女性の物語です。

ポーランドでの苦悩

ポーランドの首都，ワルシャワ。マリア・スクロドフスカ，後のマリー・キュリーは1867年11月7日に生まれた。両親は学校の先生，5人兄弟の末っ子だった。

マリアが生まれた頃，ポーランドはロシア・オーストリア・プロイセンの3国に分割支配されていた。そのためロシアが支配していたワルシャワの学校ではロシア語を使わされ，祖国の歴史や文化を教えることも禁じられた。ポーランドでは勉学の自由さえも奪われていたのである。

当時のポーランドでは女性の進学はロシアによって禁止されていた。もしもっと勉強したければ外国に留学するしか手段はなかった。

もちろん一家にそんな経済的余裕はなかった。マリアはこのような圧力的な状況の中でも，決して勉学への情熱を失うことはなかった。マリアはどうしても進学したいと思い，姉のブローニャと大胆な計画を立てる。

まず先に姉がフランスに留学し，その学費を妹が働いて送る。そして姉が独立したらマリアをフランスに呼ぶ。上手くいくという保証はなかったが，2人は実行に踏み切った。

姉を見送ったマリアは懸命に家庭教師をして送金します。しかし，働いても働いてもなかなか姉からの手紙は届きません。マリアは留学を何度も諦めかけました。
しかし，これほどまでに勉強したいと心から願う娘を運命は決して見捨てませんでした。ついにパリから姉の手紙が届きます。「なんとかなりそう。出てきなさい」と。

ピエール・キュリーとの出会い

1891年，24歳になったマリアは，パリ大学理学部に入学するため祖国を後にした。姉と計画を立ててからすでに6年が経っていた。

マリアはパリでは自分の名前をフランス式に「マリー」と書くことにした。

マリーは必死に勉強した。大学の実験室には粗末な実験着で研究に励むマリーの姿があった。周りには同じような研究生が何人もいたが，ほとんどは男の学生だった。彼らはマリーに話しかけてきたが，マリーは友達を作っている暇などなかった。

暖房もない部屋で食事も切り詰めながら，朝から夜中まで勉強に明け暮れ，物理学で1番，数学で2番の成績を上げ，2つの学位を取りました。マリーは指導教授のもとで物理の実験を手伝いながら，生活は相変わらず貧しかったものの充実した日々を送っていました。こんな生活の中，フランスの天才科学者ピエール・キュリーが彼女の前に現れます。

ピエール・キュリーは物理学者としての評価は高く，すでに「微量電流測定器」などを発明していた。マリーと出会ったとき，35歳。恥ずかしがりやで人付き合いの下手なこの天才は，マリーの良きパートナーとなる。

1895年7月の晴れた日，2人は結婚した。金の指輪も披露パーティーもなかった。マリーのスーツは，後で実験室でも着られるようにと地味な色と仕立てのも

のだった。あるのは自転車が2台だけ。2人は自転車で新婚旅行に出かけるのだった。マリー，このとき27歳。

この新婚カップルは少し変わっていました。自転車での新婚旅行もそうですが，交わす会話は物理や化学の実験の話ばかり。夜遅くまで1つの机に向かい合って，一言も声を交わさず一心に自分の勉強をする。夢中になると2人とも食事をとるのを忘れてしまうほどでした。やがてマリーは，アンリ・ベクレルの発表した研究論文に強い関心を示しました。このときからマリーの運命は大きく変わり始めます。ちょうどドイツの物理学者レントゲンが「X線」という新しい光線を発見したばかりのときでした。

　フランスの物理学者ベクレルはX線に関連した研究をしていた。1869年，ウラン金属が自然の状態で目に見えない何らかの放射線を出しているのを発見。その正体を明らかにしようとベクレルは取り組んだが，どうしても解明できなかった。

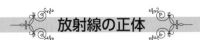

放射線の正体

　マリーはこの放射線の正体を追求しようと決心する。ピエールが以前に開発した微量電流測定器を使って，放射線が発生させる電気量を測ることから始めた。

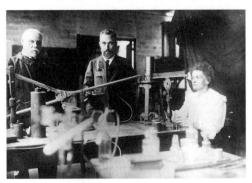

図14.1　ピエールが開発した微量電流測定器で計測するマリー[1]

ある物質が放射線を出すとき，その周りの空気は電気を帯びる。この測定器を使えば，その電気の量から放射線の強さを測ることができるのだ。マリーは当時知られていた83の元素の放射線を次々と測定し始めた。そしてトリウムもウランと同じ放射線を出すことを確かめ，その能力を「放射能」と名づけた。

　元素を調べ尽くしたマリーは再び電位計を使用し，調査の対象を自然界に存在するさまざまな鉱物に拡げました。そして運命の鉱石「ピッチブレンド」に出会ったのです。

　ピッチブレンドには，放射能をもつウランやトリウムが含まれていることが知られていた。しかし，それらだけでは考えられないほど多量の放射線がピッチブレンドから発生していることをマリーは発見したのだった。
「この中には，まだ人類が知らない新しい元素が含まれているのでは？　何万年もの間，人間に発見されるのを待っていた何かが…」

　マリーはピッチブレンドを精製して，その未知の元素を取り出す作業に入ります。ピエールも自分の研究を中断してマリーの研究に全面的に協力することになりました。

© Foreade

図14.2　ピッチブレンド[2]

ラジウムの発見

　まずピッチブレンドを細かく砕き，酸を加えて溶かした。さらに薬品を加えると溶液と沈殿物とに分かれる。これを分けてそれぞれの放射能を測定すると，沈殿物のほうが強い放射能をもっている。

　沈殿物の中に探している元素が含まれているはずだ。こうした分離と測定の作業を繰り返し，マリーは徐々に純粋な元素に近づいていった。そしてついに，ウランとは異なる元素を探り当てたのだ。

　その元素は，マリーの祖国ポーランドにちなんで「ポロニウム」と命名されました。1898年7月のことです。このポロニウムの発見は新しい研究の始まりでもありました。2人はポロニウムの精製の過程で強力な放射線を出す，もう1つ別の元素が潜んでいることに気づいていたのです。

　1898年，2人はピッチブレンドの中に，放射能をもつもう1つ別の元素の存在を確認した。ラテン語で「放射」を表す「ラジウス」から取り，その元素を「ラジウム」と名づけた。このラジウムこそが奇跡の元素だった。

　しかし，ピッチブレンドの中にはラジウムがほんのわずかしか含まれていないため，まだ誰もその実物を見たことがなかった。2人は，ラジウムが実在することを証明するためにそれを取り出し，実際に手にしてみなければならなかったのである。

　数トンにも及ぶピッチブレンドを集めたマリーは，塊を大釜に入れ熱を加えて溶かし，背丈以上もある鉄の棒でかき混ぜる。そしてさまざまな薬品で分離，精製を繰り返した。一方ピエールは，マリーが分離した物の放射能を分析した。2人は広い砂漠の中から，1粒の砂だけを取り出すような仕事を続けたのだ。

加えて彼女には立派な機材も研究室もありませんでした。ピエールが勤めていた科学専門学校のボロボロの用具置き場を借りて，手製の器具で実験を続けたのです。研究室を訪れたドイツの科学者が驚いてこう書き記しています。

「それは，馬小屋とジャガイモ置き場を合わせたような代物だった。仕事机の上の実験器具がなかったら，私は騙されたと思ったに違いない」

しかしこのとき，マリーは誇らしげにこう言っている。

「あのボロボロの小屋での数年間が，私の人生にとって一番幸福で輝いていたときでした。何もかもすべてを研究に捧げることができたのですから」

夫ピエールとともにノーベル賞を受賞

「灯りをつけないで」

勝利の日が来た。2人はついに，3年と9か月かけてラジウムの結晶0.1 gを取り出すことに成功したのだ。

たったの0.1 g。しかし，この0.1 gは人類の歴史を変える大発見だった。その光は自分の存在を主張するかのように，今まで見たこともない青白い光を輝かせていた。

世界中がこの発見を驚きをもって迎えました。放射能をもつ新しい元素の発見という事実はもちろんですが，それが若い女性科学者によってなされたことに対する驚きでもありました。それまで科学の分野に女性は一度も登場したことがなかったのです。

1903年，ピエールとマリーそしてアンリ・ベクレルは，放射線に関する研究を称えられてノーベル物理学賞を与えられた。マリー・キュリーの名前は不滅になったのである。

当時の常識では，すべての物質は水素，酸素，炭素といった元素の集まったもので，元素はそれ以上分けられない最小のものだとされていた。しかし，マリーたちが発見したラジウムやポロニウムは元素であるにもかかわらず，その中から放射線を出す。

変化しないはずの元素であるラジウムやポロニウムから放射線が生まれる。元素の中はいったいどうなっているのでしょう。元素の中を探る研究が次々と始まります。マリーが発見した放射能をもつ物質は，科学の世界にそれまでなかった新しい分野，「核物理学」という世界を開いたのです。

ラジウムを手にしたマリーに思わぬ発見があった。

調査を続けていたマリーは，スズの箱に入ったガラス管の中のラジウムで火傷をしたのに気づいた。目に見えない放射線は皮膚を火傷させる力をもっていた。

しかし医者たちは，ラジウムを使って腫れ物やある種のがんを火傷させると，火傷が治ったとき，病気も治ってしまうことを発見した。

「ラジウムはがんに効く」

人々の間でラジウムは万能薬のようにもてはやされた。

そんな熱狂に振り回され，忙しく過ごすピエールとマリーでしたが，突然の悲劇が起こりました。

悲しみを乗り越えた二度目のノーベル賞受賞

1906年4月19日，雨の街路を急いでいたピエールは運送馬車にはねられた。頭蓋骨が砕け，即死だった。知らせが届いたとき，マリーはまるで魂が抜けたように身じろぎもせず，長い沈黙の後，低い声でつぶやいた。

「ピエールが死んだのですって？ …死んだ？ …すっかり死んでしまった？」

ピエール・キュリーという人物は，ともすればマリーの名前の影に隠れがちですが本当に立派な人でした。

「どんなことがあっても，たとえ魂が飛んでしまっても，抜け殻同然になっても，死ぬまで変わらず研究を続けるのが科学者の義務なのだよ」

マリーの心には，常にピエールのこの言葉が生きて彼女を支えていたのだろう。ピエールの死の悲しみを振り切るように，マリーはエネルギッシュに活動を始めた。イレーヌとその妹エーヴの2人の子どもを抱えて未亡人となったマリーは，母校パリ大学の教授となり，1911年には二度目のノーベル賞を化学部門で受賞した。

1914年，第一次世界大戦が始まると，マリーは「X線診察車・プチキュリー」を発案し，自ら運転して負傷した兵士の救護に当たった。17歳の長女イレーヌは母親と行動をともにし，これが彼女を科学者の道に導いた。後にイレーヌは，夫のフレデリックとともに人工放射能の研究でキュリー家に3つ目のノーベル賞をもたらすことになる。

図14.3　第一次世界大戦時に活躍したレントゲン車に乗るマリー[3)]

マリーは戦争が終わった後も放射能の研究を続けていましたが，著しい視力の低下や肩のリウマチ，頭が割れんばかりの慢性的な頭痛に悩まされ続けます。これがただの老いによるものであれば良かったのですが…。
マリーは何十年間もまったく無防備でラジウムを扱い，その放射線にさらされ続けました。戦争中は大量のX線装置の放射線を浴び続けていたのです。

　病に倒れた彼女は二度と起き上がることができなかった。彼女はとうとう最後まで，その自身の病の原因を知ることはなかった。

　1934年7月4日，娘たちが最期を看取った。再生不良性貧血症，いわゆる白血病である。研究一筋に生きた66年の生涯。遺体はピエールの隣に葬られた。マリーの兄弟が一握りのポーランドの土を棺の中に入れた。

マリーはおそらく，科学者の中で最も多く伝記の書かれた人でしょう。それほどラジウムの発見は偉大なことだったのです。しかしそればかりでなく，人間としての生き方が多くの人を感動させたのではないでしょうか。
マリーは決して自分の直面した苦しさや危険を口にはしませんでした。周りの人には，常に明るく優しく振る舞いました。彼女はその身に死が訪れつつあったそのときも，自分の研究や研究所の心配をしていたと言います。彼女は，死のその瞬間まで学ぼうとする意欲を見せたのです。
マリーは科学についての多くの言葉を残しています。しかし私は，ピエールとともに記した次の言葉が一番好きです。

「私は，ノーベルとともに，人類は新発見から，悪よりも善を多く得るだろう，と考える者のひとりです」

エピローグ *Epilogue* ❧ 放射線を安全に利用するために ❧

日本アイソトープ協会品証・安全管理室

山元　真一

　マリー・キュリーとピエール・キュリーにより放射線の利用の道が切り拓かれたのは人類の歴史からすればつい最近のことですが，現代社会において放射線は欠かせない存在となっています。

　放射線は，物質にエネルギーを与える，物質を透過する，ほかの物質に変える，細菌や細胞に損傷を与えるなど，いくつもの特殊な性質をもっています。それぞれの性質がさまざまな場面に応用できることから放射線の利用は非常に多岐にわたっており，大きく分けると「創る・加工する」，「観る」，「治す」に大別できます。

　「創る・加工する」の代表例として，半導体の製造や医療器具の滅菌，タイヤやケーブルの高機能化，ジャガイモの芽止め，植物の品種改良などが挙げられ，工業，医療，農業といった幅広い分野で利用されています。「観る」については，病気の診断や空港での手荷物検査，コンクリート建造物の非破壊検査などの私たちの生活に身近なものから，原子レベルでの物質の挙動分析，未知試料の組成分析，金属板や紙の厚さの測定，遺物の年代調査などにも利用されています。「治す」としては，がんや脳血管障害などの治療に利用されています。量子ビームを利用した治療法やアルファ線を利用した治療薬などが日々研究，開発されており，放射線利用の中でも特に発展が目覚ましい分野です。

　放射線利用による経済規模は日本国内だけでも，およそ4兆3,700億円（2017年，内閣府「放射線利用の経済規模調査」より）に及んでおり，放射線はさまざまな場面で利用されています。一方で，放射線を利用するに当たっては，過度な被ばくが健康障害につながるという放射線のもつ負の側面を正しく理解しなければなりません。放射線利用の歴史においても，マリー・キュリーが放射線被ばくに関連づけられる健康障害を発症しているほかに，夜光時計の作業員が塗料に含まれるラジウムを摂取したことによる健康障害を発症した事例がありました。これらは

当時，放射線の人体への影響が解明されておらず，放射線から身を守る措置が正しく行われなかったことに起因します。このようなことが二度と起こらないよう，現代においては放射線の利用方法や利用する施設などを適切に管理するとともに，放射線を取り扱う者に対して教育，被ばく線量の測定，健康診断を行うことが義務づけられています。

　放射線は，放射性同位元素または放射線を発生させる装置を用いて利用されています。放射性同位元素は，主に日本アイソトープ協会が日本全国に供給しており，約7,500の事業所で使用されています。時間とともに減少する性質をもっているため，供給が途切れることがないよう国内外の関係機関が密接に連携し，流通網を維持しています。放射線を発生させる装置は，X線撮影用の装置や放射線治療用の装置，物質を解析するための装置などがあり，主に医療機関や研究・教育機関で使用されています。また，放射線を正しく取り扱えるよう日本アイソトープ協会や関連学会などが情報の提供や普及啓発活動を行っており，放射線を安全に利用する環境が整えられています。

 読書案内

放射線について考えよう。
多田 将 著，明幸堂(2018)

放射線について，興味を惹くトピックスとともに非常にわかりやすくまとめられており，正しく理解することができます。また，単なる参考書としてだけではなく，「考える」ことの重要性とその方策が示されており，考える力を養うことができます。本書をとおして，放射線についてさまざまな情報や思い込みに踊らされることなく，正しい知識と自らの考えをもてるようになることを期待して推薦します。

「好きなもの
　いちご　珈琲　花　美人
　懐手して宇宙見物」

「天災は忘れた頃にやってくる」で
知られる物理学者，随筆家
寺田寅彦

1878-1935

Terada Torahiko

 略 歴

1878（明治 11）年	東京・麹町に生まれる。
1896（明治 29）年	熊本の旧制第五高等学校（現在の熊本大学）入学。夏目漱石，田丸卓郎の教えを受ける。
1899（明治 32）年	東京帝国大学理科大学物理学科入学。
1904（明治 37）年	26 歳の頃，東京帝国大学理科大学の講師になる。音響学，磁力学を研究。
1913（大正 2）年	ラウエ斑点を撮影する研究を始める。後の 1917（大正 7）年にこの研究で帝国学士院恩賜賞受賞。
1916（大正 5）年	東京帝国大学理科大学教授に任命される。夏目漱石逝去。全集の編集委員となる。
1923（大正 12）年	関東大震災。震災調査に従事。防災科学に取り組むきっかけとなる。
1925（大正 14）年	東京帝国大学に地震研究所設置。教授となる。随筆集の出版あいつぐ。
1935（昭和 10）年	57 歳で逝去。

多才な物理学者

「寒月や　腹鼓を打つ　狸かな」

　寺田寅彦が寒い夜の月の下で狸が腹鼓を打っている情景を詠んだ俳句である。夏目漱石の代表作の1つ『吾輩は猫である』。漱石はこの小説の中に，この句から名づけた水島寒月という人物を登場させている。猫の主人「くしゃみ先生」の元教え子で物理学者という設定のこの人物が，寅彦をモデルにしたものだということはよく知られているとおりである。

図15.1　『吾輩は猫である』表紙[1]

寺田寅彦は，物理学においてさまざまな業績を残している人物であり，彼を語るにはさまざまな言い方ができます。
彼は，防災科学の提唱者だった。
彼は，地震の研究者でプレートテクトニクス理論の先駆者だった。
彼は，日本の気象学や海洋学の開拓者だった。
彼は，地球物理学者だった。
これらの言い方ひとつひとつは間違っていませんが，科学者寺田寅彦の全体像はもっと大きなものでした。また彼は科学にとどまらず，俳句や随筆，果ては映画評論にまで，芸術家，文筆家としても広く活動を続けています。寺田寅彦とはいったいどのような人だったのでしょうか。

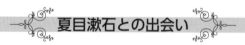

夏目漱石との出会い

　寺田寅彦は1878（明治11）年，東京麹町平河町に生まれた。父親は陸軍に勤務していて転勤が多く，寅彦も幼い頃から転校を繰り返した。しかし小学校の頃から英語を習い，また当時としてはとても高価なものだった顕微鏡も買い与えられるなど学問に関しては恵まれた環境の中で育ち，文学や理科への興味を育んでいっ

提供：熊本大学五校記念館

図15.2　旧制第五高等学校

た。

　1896（明治29）年，寅彦は中学校を首席で卒業し，熊本の第五高等学校に無試験で合格した。その翌年，19歳の寅彦は14歳の夏子と結婚。当時としてはその年齢で結婚することは珍しくなかった。

　五高時代，寅彦は自分の将来に決定的な影響を与えた2人の教師に出会った。その1人が当時，五高の英語教師だった夏目漱石である。

　寅彦は文学好きの理科の生徒。漱石は理科好きの英文学者。生徒と教師として関係を出発させた2人はその後，親交を深めていきます。

　明治時代の日本俳句界を代表する俳人の正岡子規。漱石と子規は友人であり，一緒に俳句を作ったりしていた。そのことを知っていた寅彦は，あるとき漱石に思い切って質問した。

「俳句とは，いったいどんなものなのですか？」

　漱石は答えた。

「俳句はレトリックを煎じ詰めたものだ。扇の要のような集中点を描写して，そこから放射する連想の世界を暗示するものだ」

漱石のこの一言で，寅彦は俳句を理解したと思った。夏休みに，その頃実家のあった土佐へ帰ると30句ほどの俳句を作り，休みが終わると漱石を訪ねて句を推敲してもらう。そうこうしているうちに，寅彦は漱石と一緒に10分間に10句作れるようになるまで上達し，正岡子規が主催している俳句覧にも寅彦の句が掲載されるようになった。

こうして寅彦は，俳句を通じて漱石との交流を深めていき，それは1916（大正5）年に漱石が亡くなるまで続きます。『吾輩は猫である』の中で，冒頭に紹介した水島寒月がくしゃみ先生に「首縊りの力学」という題でする講演の練習をする場面がありますが，ここにはきっと2人の関係が反映されているのでしょう。
さてここで，五高時代に出会った寅彦に大きな影響を与えたもう1人の教師が登場します。

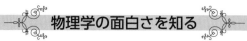

物理学の面白さを知る

田丸卓郎（たまるたくろう）は日本にローマ字を広めるために力を尽くした人物として知られている。彼は理論物理学，地震学，航空物理学の研究に携わる学者であった。寅彦が入学した当時，田丸は東京帝国大学を卒業し教師になったばかりの秀才だった。寅彦は数学と物理学を田丸から習った。田丸の授業は面白く，特に数学は中学時代に習ったものとはまったく別物に思えるほどだった。

そんな田丸の講義を通して寅彦は物理学の面白さを知り，のめり込んでいきます。また，寅彦が田丸から教わったものは勉学だけではありませんでした。

あるとき，田丸は学生の前でバイオリンを弾いて聴かせた。初めて聞いたその音色にすっかり魅せられた寅彦は，実家から月々送られてくる学費を節約し，昼飯を抜いてまでも貯金してバイオリンを買い求めた。もちろん自分が弾くためであった。

田丸によって火をつけられた物理学への情熱は，後の物理学者寺田寅彦を生み出していきます。また漱石によって見出された文学的才能は，後に科学者としての視点と詩人としての視点が渾然となった独特の世界をもつ随筆作品を，次々と生み出していくことになります。さらに，ここで出会ったバイオリン演奏は，寅彦の生涯の友となっていきます。
五高時代に寅彦は，彼の一生を左右する数多くの出会いを得たのでした。

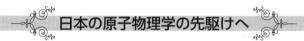

日本の原子物理学の先駆けへ

　五高を卒業した寅彦は1899（明治32）年，東京帝国大学物理学科に入学した。卒業後は大学院を経て，講師，助教授を歴任。1909（明治42）年から1911（明治44）年にかけてはヨーロッパに留学し海洋学，気象学を学んだ。

こうして寅彦が学者としての道を歩み始めた頃は，アインシュタインの「特殊相対性理論」をはじめ，ウェゲナーの「大陸移動説」，ボーアの「原子構造の量子論」など，物理学の新しい動きが次々に現れた時代でした。寅彦もこれらの動きに大いに刺激を受けたようです。

　1913（大正2）年，寅彦はX線を使って結晶のラウエ斑点の写真を撮る研究を始めている。

　ラウエ斑点とは，結晶内の原子によってX線が散乱・干渉してできる斑点であり，結晶の原子構造を反映している。この研究は，日本における原子物理の研究の先駆けとなるものだった。この研究の成果により，寅彦は1917（大正6）年に帝国学士院恩賜賞を受賞している。

　このときの研究室の様子を，寅彦の直弟子の西川 正治は次のように語っている。
「廊下を通るとひょいと扉が開き，寺田先生が「まあ，入りたまえ」と呼び止められ，僕に岩塩と蛍光板を渡された。ハッと思ってよく見ると，見える見える。沢

山の攪拌が結晶を動かすとともに動いていて，光を増したり消えたりする。先生は「こうやって見ていると実に面白い。いろいろな結晶でそれぞれ特徴があり，また単結晶に限らずほかのものでも面白い模様が見えることもある」と言って，いろいろ説明してくださった」

研究に嬉々として取り組み，その成果を嬉しそうに弟子に教えています。寅彦の実験室での様子がよく見えるエピソードですね。

　寅彦は，研究において高価な機械を使うことはほとんどなく，水あめやうどん粉を使って大陸移動のモデル実験をし，周囲の人が呆気に取られたこともあった。虫眼鏡1つでも実験はできるというのが寅彦の持論であった。しかしそれは，逆に言えば寅彦が実験対象の本質を的確に捉えていたということでもある。柔軟な発想で対象に取り組み，推理と実験とを繰り返し真実に近づいていく。それが寅彦の研究者としての姿勢であった。

　その後も寅彦は数々の研究に取り組んでいく。その代表的なものに，割れ目の研究がある。物体の表面に割れ目ができるときのあらゆる相関関係について研究したものである。

　後年，寅彦の弟子の1人であった平田森三は，この研究をもとにキリンの縞模様は胎児のときにできた体の表面の割れ目を表すものである，という考えを発表し人々を驚かせている。

ほかにも，海軍の飛行船の爆発事故の調査をきっかけにして火花放電の研究をしたり，はたまた電車の混み方を研究したり，寅彦の研究者としての活動は純粋な物理学から日常の不思議に関するものまで多岐にわたり，その中で多くの成果を残しています。

　こうして研究者としては順調に歩みを進めた寅彦だったが，その私生活には不幸の影がちらついていた。

最初の妻の夏子を19歳という若さで亡くしたのをはじめ，その次に迎えた妻寛子も病死。夏目漱石や正岡子規など，寅彦にとって恩師である人物たちの死も大きな痛手になった。また，寅彦自身も体が弱く，幾度となく療養生活を余儀なくされる。しかし，亡くなった妻との間に生まれた子どもたちは元気に育ち，そのことが寅彦にとっては何よりの慰めになった。

ところで，寺田寅彦について私たちが真っ先に思い出すのは，やはりあの「天災は忘れた頃にやってくる」という有名な言葉なのではないでしょうか。彼があの言葉が生まれるきっかけになった大事件に遭遇したのは，1923（大正12）年のことです。

天災は忘れた頃にやってくる

大正12年の夏，寅彦は次のような短い文章を発表した。
「この頃，石油ランプを探して歩いている。神田や銀座はもちろん板橋界隈も探したが，座敷用ランプは見つからない。東京というところは存外不便なところである。東京市民がみんな石油ランプを要求するような時期が，いつかはまた巡ってきそうに思われて仕方がない」
　この寅彦の悪い予感が的中する。
　そのとき，寅彦は上野の絵の展覧会に出かけた帰りだった。喫茶店に入り紅茶を飲んでいると強い地震を感じた。それは，腰掛けている足の裏を思いっきり木槌で叩かれているような感じだった。そのうちに，船に乗ったような大きな揺れが始まった。関東大震災が起こったのである。

地震に遭遇したときの寅彦の行動には，いかにも科学者らしい冷静さがうかがえます。喫茶店にいた人々は驚いて飛び出し，店内には寅彦と下足番の老女だけが残ります。地震による揺れは一度衰えるかに思われましたが，もう一度激しい揺れが来て，その後ゆっくりと長い周期の揺れになって衰えていきました。やがてボーイが1人戻ってきたのを見て，寅彦は勘定を済ませます。ボーイは丁寧にお礼を言いました。

　外へ出るとカビ臭い匂いが充満しており，空には一面，土埃が飛んでいた。
「この土埃はたくさんの家が倒れたからだ。東京中が火の海になるかもしれない」
　寅彦の悪い予感はまたも的中し，東京中で大火災が起こった。この大震災による死者・行方不明者10万5千人余り，家屋全半壊21万1千軒余りにものぼった。

図15.3　関東大震災により起こった火災で東京は大きな被害を受けた[2]

関東大震災を経験した寺田寅彦は，防災について，これこそが科学が真正面から取り組むべきことであると考えました。なぜなら自然災害は人々の生活を根こそぎひっくり返してしまうほどの恐ろしい力を発揮するからです。
「天災は忘れた頃にやってくる」この寅彦の有名な言葉は，そんな彼の想いから生まれたものなのでしょう。しかしこの言葉は寅彦の書いたあらゆる文章の中を探しても見当たりません。この言葉は，寅彦が口癖のように言っていたことが後に口づてに伝わり広まって，五七五の標語となって定着したものだったのです。

　関東大震災が起こったことによって，東京帝国大学の中に地震研究所が設置されることが決まったのは1925（大正14）年。寺田寅彦はここの教授となり，以降地震と防災の研究に力を尽くすこととなる。今も残る研究所の10周年の記念碑には，寅彦自身の言葉でこう書かれている。

「本所永遠の使命とする所は，地震に関する諸現象の科学的研究と，直接または間接に地震に起因する災害の予防ならびに軽減方策の探究とである。この使命こそは，本所の門に出入りする者の，日夜心肝に銘じて忘るべからざるものである」

　この地震研究所は今も東京大学の中に残り，地震の研究を続けている。

提供：東京大学地震研究所

図15.4　寺田寅彦によって寄せられた銅板の碑文

文筆家としての寺田寅彦

　銀ぶら，つまり銀座通りをぶらぶら歩くことが好きだった寅彦は，震災後，復興した銀座を見て次のように書いている。

「歩きながら，店々に並べられた商品だけに注目して見ていると，地震前と同じ銀座のような気もする。往来の人を見てもそうである。してみると銀座というものの「内容」は，つまりただ商品と往来の人とだけであって，ほかには何もなかったということになる。それとも地震前の銀座が，やはり一種のバラック街に過ぎなかったということになるのかもしれない」

震災を経た東京の街を，文筆家としての寅彦の視線が捉えた随筆の一文です。
前半では，寅彦の研究者としての姿を紹介しましたが，ここでちょっと彼が書いた随筆をいくつか見てみましょう。
これは線香花火について彼が書いたものです。

「火の玉は，かすかな，ものの煮えたぎるような音を立てながら細かく震動している。それは今にもほとばしり出ようとする勢力が内部で渦巻いている事を感じさせる」

火の玉の爆発しようとするその直前の瞬間を，まるで宇宙のビッグバンを見ているかのようなスケールで見ています。そこには研究対象に臨むときと同じ，寅彦の鋭い観察眼と柔軟な想像力が見て取れます。
また，金平糖の角はなぜできるのかについて，彼はこんなことを書いています。

「理論的には，ドロドロに溶かした砂糖の中に芥子粒を入れてかき混ぜ，すくい上げることを繰り返していると，まあるい砂糖の魂ができることになる。しかし現実は，金平糖はそんなことに頓着なく，にょきにょきと角をつけていく。

これまでの科学は，角を出さないもの，角が出ない場合ばかりを選んで研究してきているのではないか。将来の物理学はそういうことではあってはならない」

ここには，寅彦の研究者としての態度が現れています。彼は，仮説の検証過程を重要視する当時の日本の科学会にあって，新しい仮説を提案することこそ第一級の研究者の仕事だと考えていました。寅彦の研究者としての本領は，科学における新しい分野の開拓にあったのです。

寅彦のそんな研究態度は生涯変わることなく，晩年彼は当時物理学では解明不可能とされていた生命現象の物理学的解明に意欲を注いだ。また1928（昭和3）年頃から映画評論を開始するなど文筆活動も精力的に行い続けた。バイオリンの演奏も終生，寅彦を飽きさせることがなかった。

そんな寅彦も1935（昭和10）年，病に倒れた。そして地震研究所が10周年を迎えたその年の大晦日に息を引き取った。57歳であった。

前半で紹介したように，夏目漱石は寅彦に「俳句とは扇の要だ」と教えました。寅彦の一生は，その扇の要を追いかけるものだったのではないか，と私は思います。寅彦が追いかけた扇の要とは，さまざまな事物の中心にあるものだったのではないでしょうか。彼はその中心にある真実を見極めるために研究や文筆活動を通して，要から無数に広がる連想や可能性の間を軽やかに飛び回り，その繰り返しで自分の求めるものに近づいていったのです。
今回は大変な甘党だったという彼が詠んだ，こんな歌で終わりにしようと思います。

「好きなもの　いちご　珈琲　花　美人　懐手して　宇宙見物」

エピローグ *Epilogue* 🍃 災害の軽減をめざして 🍃

東京大学地震研究所元所長・東京大学名誉教授　　　山下　輝夫
東京大学地震研究所海半球観測研究センター　教授　塩原　肇
東京大学地震研究所災害科学系研究部門　教授　　　古村　孝志

（山下先生）「地震研究所では昔から使われてきた地震計を展示しています。昔は回転するドラムに煤掛けした記録紙を巻きつけ，その上を針が動いて地面の動きを記録するということが行われました。現在では電磁式地震計というものが広く使われています。コイルの中を地面とともに磁石が動けば電場が生じるという原理を用いています。生じた電流を数値化すれば簡単にデータを計算機に取り込むことができ，いろいろな形で加工ができます。そういった意味で，現在では非常に扱いやすい計測器になっています」

　近代日本の地痕学において常に最先端の研究を行ってきた東大地震研究所は，2020年に創立95周年を迎えました。現在では，全国の大学のさまざまな分野の研究者たちに共同研究の場を提供する共同利用研究所として，地震研究のさらなる発展に力を尽くしています。

（山下先生）「地震や火山現象の根源を探るためには，地球の深部で起きていることを，きちんと知る必要があります。近年ではそういった立場からの研究も広く行われるようになりました。ただし，地球の深部をきちんと知るためには，医療で行われているX線を用いたCT検査のようなものが必要です。

　例えば，CT検査で頭の内部をくまなく調べるために頭の周りのさまざまな場所からX線を照射し，頭の中を透過してきたX線を多数の異なる点で検出します。そう考えると地球の海域，特に太平洋域には観測点がほとんどなく，地球内部を知るための問題点であることがわかります。そのため地震研究所は関係の研究者・研究組織とも協力しながら，西太平洋域の海底や島嶼に地震計など観測機器を設置し，地球深部の構造や動きを精確に捉えようとする努力もしています」

（山下先生）「面白いと思った事例の一つとして，大気と地球が互いに影響を及ぼしているらしいということが挙げられます。例えば，大気が動くと本当に微小なものですが，地球が揺れるということがわかったのです。今までは大気が地球を揺らすなどということはなかなか考えられませんでした。地震現象や火山噴火現象はたいへん複雑な現象です。古典的な物理学とは違う観点からの物理学，つまり複雑さをどう理解するかというような立場からの考えを，今後我々が提示していくことが必要だと思っています。

　寺田寅彦氏は，それまでのものとは大きく異なる新たな観点からの地震学の推進，すなわち物理学的視点の必要性を痛感して地震研究所の設立に尽力されました。設立後，このような視点に基づいた研究が次々と花開き，彼の尽力が実を結ぶこととなりました」

（塩原先生）「図15.6は水深6,000 mまでの深海底で，最長2年間の長期観測が可能な広帯域海底地震計といいます。地震波の周期で360秒というゆっくりした動きから，0.02秒という速い震動までの広い帯域を高感度で捉えられるセンサを使っています。このセンサからの出力はレコーダーで連続したデジタルデータとしてSDカードなどの大容量記録メディアに収録されます。このレコーダーは海底観測で必要な正確な時計を含み，センサの制御もレコーダーから自動的に行われます。観測終了後，広帯域海底地震計本体を，海面からの音響命令によっておもりを切り離し自己浮上させることで，地震計とデータを回収します」

　こうした研究を通じて見えてくるのは，今までに知られていなかった地球のまったく新しい姿だといいます。

　寅彦の功績は，こうして地震研究所に受け継がれています。それは日々新しい研究成果を生み出し，地震・火山現象の科学的解明と災害の軽減に向け大きな役割を果たしています。

　東京・銀座，数寄屋橋にある関東大震災10周年記念碑。「不意の地震に不断の用意」。この碑面に刻まれている言葉には，寅彦が地震研究を通じて訴えていたものと同じ思いが込められています。

図15.5　火山観測風景(浅間山)*

図15.6　海底に設置される前の船上の
　　　　広帯域海底地震計*

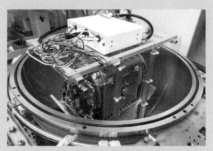

図15.7　広帯域海底地震計の内部*
　　　　チタン合金製耐圧容器内に地
　　　　震計(下)とデータレコーダー
　　　　(上の白い箱)が入っている

図15.8　船上からの海底地震計投入風景*

図15.9　三宅島と2000年の噴火で形成された
　　　　カルデラ(2017年撮影)*

図15.10　浅間火山観測所において(中央のコートを着ているのが寺田寅彦)*

*提供：東京大学地震研究所

 読書案内

東日本大震災の科学

佐竹健治・堀 宗朗 著，東京大学出版会(2012)

2011年，東日本大震災を引き起こしたマグニチュード9の
巨大地震。なぜ発生し，そして巨大津波による甚大な被害
が起きたのでしょうか。東京大学の研究者が集結し，理学，
工学，経済学，社会心理学など多角的な視点で大震災の実
像に迫ります。

「誰もが若いとき，自分の人生が
どうありたいか思い描くでしょう。
でも私は次のような結論に
達しました。
人生が実り豊かなもので
あるならば，たとえそれが
平坦なものでなくても
構わないと」

「マイトニウム」の語源となった物理学者

リーゼ・マイトナー

1878-1968

Lise Meitner

♗ 略 歴 ♗

1878 年	オーストリアのウィーンで生まれる。
1901 年	ウィーン大学へ入学，その後物理学の博士号を取得。
1907 年	28 歳の頃，ベルリン大学の聴講生となり，マックス・プランクに師事する。オットー・ハーンと出会い，原子核に関する研究を行う。
1912 年	ヴィルヘルム研究所に移る。
1915 年	35 歳の頃，X 線治療の看護婦として戦地へ赴く。
1926 年	大学教授となる。
1938 年	ナチスによるユダヤ人迫害のため亡命の旅に出る。スウェーデンのノーベル研究所へ。
1968 年	89 歳で逝去。

逃亡の中のひらめき

1938年12月，スウェーデン。一組の男女が雪の降り積もった林の中を歩いていた。女性の名はリーゼ・マイトナー。ナチスのユダヤ人弾圧によってドイツを追われ，スウェーデンに亡命していた物理学者だった。男性はリーゼの甥，オットー・フリッシュ。彼もまた物理学者だった。2人はベルリンから送られてきた一通の手紙に，全身を貫かれるような興奮を感じていた。

「核が分裂するなんて，そんなことあり得ませんよ」

「でも，ハーンはいい加減な実験をする人じゃないわ。もしこの手紙の報告が事実だったとしたら…」

リーゼは木の根元に座り込み，紙切れに数式を書き計算を始めた。そして数字でいっぱいになった紙切れを示しながら，興奮を隠しきれずに叫んだ。

「間違いないわ！ ウランの原子核はものすごいエネルギーを放出して分裂するの！まさかと思っていたことが本当に起きたのよ」

リーゼもフリッシュもあまりに衝撃的な結論にしばらく口をきけなかった。ウランの核分裂によって生まれる膨大なエネルギー。リーゼ・マイトナーはこの日，人類で初めて核分裂のエネルギーを計算した人間となったのである。

リーゼ・マイトナー，この科学者は核分裂の研究で偉大な業績を残しました。しかし彼女の名前は不思議なことにほとんど知られていません。20世紀は言うまでもなく核物理学が飛躍的な進歩を遂げた時代でした。その中でリーゼ・マイトナーは原子核の分裂という重要な研究をしたのですが，その功績は長い間，正当な形では認められませんでした。いったいそれはどうしたわけなのでしょう。

今回はこうした謎に迫りながら，波乱に富んだリーゼ・マイトナーの生涯をたどってみましょう。

女性が社会で活躍できない時代

　リーゼ・マイトナーは1878年11月17日，オーストリアの首都ウィーンで生まれた。父親はユダヤ人の弁護士で女の子5人，男の子5人の大所帯だった。

なにしろこの頃は，古い時代の道徳が色濃く残っていましたから，女性は若いうちに結婚して家庭に入るのが当たり前，職業をもつなんてとんでもないと思われていた時代です。しかしリーゼは，そういう生き方を選びませんでした。

　当時，女性は大学への進学が禁じられていた。しかしリーゼは特別な資格試験に合格し1901年，22歳のときウィーン大学へ入学することが許された。
　学生時代リーゼが熱中していたのは数学と物理学。女子学生の姿がない校内で，リーゼはひたすら勉強に打ち込んだ。
「あの時代，若い娘が大学で講義を受けるということは，とにかく尋常なことではなかったのです。私の胸を締めつけていたのは，果たして自分は科学者になれるのだろうか，という不安でした」

頑張り屋のリーゼはその不安を吹き飛ばし，ウィーン大学で2人目となる物理学の博士号を取得します。
ようやく科学者としてスタートラインに立ったリーゼ。彼女はさらなる飛躍を求めて，ドイツのベルリンに向かう決心をします。

世界を驚かせた発見

　1907年，28歳のリーゼはベルリン大学の聴講生となり，高名な物理学者マックス・プランクに師事する。プランクは，物体から放射される電磁波のエネルギー分布が不連続であることを発見し，量子論の基礎を築いた人物である。この偉業によって彼は1918年にノーベル物理学賞を受賞している。

当時，ベルリンには数多くの優れた物理学者が集まり，原子と原子核という新しい研究分野が注目を集めていた。リーゼはそうした時代の渦に身を投じたのである。

今までの常識が覆され，新しい研究分野が切り拓かれるとき，凄まじいエネルギーがほとばしります。そこに至るまでの物理学の流れをこの辺りで簡単に振り返ってみましょう。
まず最初に世界を驚かせたビッグニュースは，X線の発見でした。

　1895年，ドイツのヴィルヘルム・レントゲンはこれまで誰も知らなかった謎の光線を発見した。その光線は木や布を通過し，人間の骨まで撮影することができた。レントゲンはこの不思議な光線を「X線」と名づけ，1901年にノーベル賞受賞者の第1号となった。

　続いてフランスのアンリ・ベクレルも物理学における重要な発見を成し遂げた。ウランは目に見えない光線を発し，写真の乾板を黒くするという事実である。ベクレルも後にノーベル賞を受賞する。

　ベクレルが発見した光線の謎に挑んだのが，フランスのマリー・キュリーと夫のピエールである。2人は新しい元素ポロニウムとラジウムを発見し，1902年，ラジウムの結晶を取り出すことに成功した。マリー・キュリーは1903年と1911年の二度にわたりノーベル賞を受賞した。

　イギリスのアーネスト・ラザフォードは貧しいニュージーランド移民から身を起こし，ウランやトリウムの研究で注目を集めた。そして1908年に彼もノーベル賞を受賞し，1911年に原子核を中心とする原子モデルを発表する。

　こうした流れを経て，原子にまつわる研究は20世紀の物理学における重要なテーマとなっていったのである。

オットー・ハーンと原子核の共同研究

疾風怒濤と言える核物理学発展の時代に，リーゼはどう成長していくのでしょうか。まもなくリーゼは研究のパートナー，オットー・ハーンと出会います。

ハーンは金髪で青い目の青年だった。2人の共同研究は，その後30年にわたり続いていくことになる。だがそのスタートは決して順調なものではなかった。

2人は当初，ハーンの働いていた研究所で一緒に作業を始めようとしたが，リーゼはここで女性差別の現実に直面する。女性が男性と同じ職場で働くことを研究所の所長が許さなかったのである。「もし仕事をするなら，地下の木工作業所以外は使わせない」とリーゼは所長から言い渡された。この屈辱的な命令にリーゼは怒りに震えたが，すぐに承諾した。好きな物理学の実験を有能な仲間たちと行うことが，どうしても諦めきれなかったからである。

しかし，薄暗く貧弱な地下室での共同研究はとても実りあるものだった。

ハーンは直感的で実験技術に優れた天才肌の科学者。一方，リーゼは分析的で徹底的に物事を突き詰めて考える物理学者。2人は互いに助け合いながら，原子核に関する論文を次々と発表した。リーゼとハーンの名は次第に学会でも知られるようになった。

リーゼとハーンは，1912年に新たに設立されたヴィルヘルム研究所に移った。この研究所で仕事をすることは，科学者として一流と認められることだった。移った翌年，ハーンは美術を専攻する女子学生と結婚した。

マリーとピエールのキュリー夫妻は研究者同士として結ばれました。リーゼとハーンもそうなる可能性はなかったのでしょうか。リーゼは生涯独身でした。2人は私生活では別々の道を歩み始めましたが，共同研究のほうは快調に進んでいきます。

1915年，リーゼはX線治療の看護婦として戦地に赴いた。第一次世界大戦が勃発したためである。同じ頃，フランスではマリー・キュリーが娘のイレーヌとともに負傷兵たちのX線治療に当たっていた。2人の女性科学者は奇しくも敵味方に分かれて，兵士の治療に当たっていたのである。

第二次世界大戦への足音

やがて戦争はドイツの敗北で終わります。荒廃したベルリンに戻ったリーゼは，研究所に新しく作られた核物理研究の責任者になりました。その後，女性にも教授の資格を与える法案が成立し，ようやく彼女は教授としての肩書きを手にします。すでに40歳を越えていました。

今やリーゼは若い科学者の集団を指揮して，その陣頭に立っていた。この研究所でのおよそ13年間に彼女が発表した論文は50を超えた。リーゼが最も研究に打ち込めた時期である。しかし時代は，再び戦争への道を歩み始めていた。

1933年，ヒトラー率いるナチスがドイツ政府の全権を掌握すると，ただちに凄まじいユダヤ人迫害が始まった。アルベルト・アインシュタインやニールス・ボーアといった有名な科学者たちも次々とドイツを逃れ，ヨーロッパは暗い時代へ突入した。

リーゼは少しヒトラーを甘く見ていたようです。ユダヤ人であっても自分はオーストリアの国籍だし，自分のところまで迫害が及ぶことはないだろうと考えていたためです。それに彼女には，すぐにドイツを離れるわけにはいかない理由がありました。それは，ハーンと共同で進めていたある研究でした。

イタリアのエンリコ・フェルミは，遅い中性子をウランの原子核にぶつけることで新しい物質ができるという事実を発見した。リーゼはその物質の正体を突き

止めようと，後に核分裂の発見につながるこの研究に打ち込んでいたのである。

しかし，過酷な運命はリーゼを翻弄します。まもなくリーゼは教授の資格を剥奪され，身の安全もままならない状況に追い込まれてしまいました。その頃リーゼは 60 歳。ここに至って彼女もようやく亡命を決意します。1938 年の夏のことでした。

亡命とウランの核分裂

　オランダの物理学者の手引きでドイツを離れる手はずは整った。だが，パスポートもビザもない。一か八かの脱出である。研究所には 1 週間の休暇を取ると言い残して，リーゼはスーツケース 1 つでオランダ行きの列車に乗った。旅行の本当の目的を知っているのはハーンだけだった。

「31 年間暮らしたドイツを去るというのに，荷物をまとめるのにかかった時間はたったの 1 時間半。私は何ひとつ間違ったことをしなかった。それなのに，なぜ？　私の心はまるで空っぽの木の実のようだ」

　無事ドイツを脱出したリーゼはオランダからデンマークへ渡り，ニールス・ボーアのもとでしばらくの間，身を潜めた。その後リーゼは，自分を迎えてくれるスウェーデンのノーベル研究所に向かった。ナチスの手を逃れようやくスウェーデンにたどり着いたリーゼだったが，彼女の心にはひとつの気がかりが残されていた。それは，研究途中で放棄しなければならなかったウラン原子核の実験である。共同研究者のハーンはドイツから手紙で実験経過を頻繁に知らせてきた。そして 1938 年 12 月に届いた手紙は，リーゼにとって驚くべき内容だった。

「この信じられない事実をいち早くあなたに知ってもらいたく，手紙を出しました。ある日，減速させた中性子を照射したらウラン原子の半分の重さしかないバリウムが生じたのです。これはいったいどうしたわけなのでしょう」

　リーゼは，手紙の内容を深く検討した。そして思いがけない結論が導き出された瞬間，リーゼの体は震えるような激しい緊張感に包まれた。

リーゼの甥，オットー・フリッシュが亡命先の叔母を訪ねたのは，まさにこのときだったのである。リーゼは雪の降り積もる近くの林にフリッシュを連れ出した。「間違いないわ！　ウランの原子核はものすごいエネルギーを放出して分裂するの！まさかと思っていたことが本当に起きたのよ」

この瞬間，ウランの核分裂という事実がついに姿を現したのです。オットー・ハーンの実験結果を計算で確かめたリーゼ・マイトナーですが，その後は彼女にどんな運命が待っていたのでしょうか。

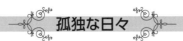

孤独な日々

　スウェーデンに身を潜めていたリーゼだったが，世界はますます混沌とした時代へ進んでいく。ナチスのポーランド侵攻を引き金に第二次世界大戦が始まったのである。

　リーゼとハーンが研究していた核分裂のエネルギーは，強力な爆弾を作れる可能性を示していた。アメリカもドイツに先を越されまいとロスアラモスで原子爆弾の研究を開始したのだ。

　戦火が拡大する中，リーゼは孤独だった。実験道具も研究資料も思い出の品々もすべてドイツに残してきたリーゼは，人生のほとんどを失ったに等しかったのである。「何かに打ち込もうとしても内面の惨めさを救うことはできない。私は誰もいない広い砂漠でたった1人で暮らしているような気がする」

戦争が終わるとリーゼは核分裂の研究者としてアメリカに招かれます。アメリカを勝利に導くきっかけを見つけた功労者の一人という扱いでしたが，記者たちから原子爆弾との関連を聞かれるたびにリーゼは苦々しく答えました。

© Smithsonian Institution

図16.1　アメリカで講義を行うリーゼ[1]

「私は原子爆弾の開発には一切かかわっていません。原子爆弾については，むしろあなた方のほうが詳しいのではないですか」

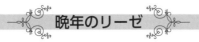
晩年のリーゼ

　1944年，オットー・ハーンは核分裂の発見によりノーベル賞を受賞した。しかし共同受賞者にリーゼ・マイトナーの名はなかった。

1946年，2年遅れで授賞式の行われたストックホルムで2人は久しぶりに再会します。リーゼは心からハーンの受賞を祝いましたが，2人の間には微妙な隙間ができていたようです。それは実験が成功する直前，ユダヤ人であるがゆえに現場から引き離されてしまった人間と，実験を続けることできた人間の違いだったのかもしれません。

　アインシュタインは戦後，ドイツの地を踏むことを拒否したが，リーゼは和解の道を選びドイツ政府からの賞をいくつか受賞した。科学者として過ごしたドイ

ツでの日々は，彼女にとってかけがえのない充実した時間でもあったからである。

　晩年は甥のフリッシュが住むイギリスに移り，穏やかな日々を過ごした。1968年夏，長年のパートナー，オットー・ハーンが心不全でこの世を去るが，リーゼはその事実を知ることはなかった。ハーンの死から3か月後の1968年10月27日，リーゼ・マイトナーは老人ホームの一室で静かに息を引き取った。激動時代を駆け抜けた，89年の生涯だった。

リーゼ・マイトナーの生涯をたどると一貫したものが感じられます。それは何よりも物理学に対する一途な情熱です。物理学に対する彼女の想いは，まるで恋人以上のものでした。

本来ならノーベル賞受賞者として名前を残してもおかしくないぐらい研究への熱意は激しく燃えていましたが，戦争という荒波によってその夢は奪われてしまいました。にもかかわらず，彼女の人生に清々しさと気品が感じられるのは，物理学への強い愛が生涯貫かれていたためではないでしょうか。

見かけは華奢で，おとなしそうだったリーゼ。しかし中身は芯の強い女性でした。彼女はこのような言葉を残しています。

「誰もが若いとき，自分の人生がどうありたいか思い描くでしょう。でも私は次のような結論に達しました。人生が実り豊かなものであるならば，たとえそれが平坦なものでなくても構わないと」

量子科学技術研究開発機構量子エネルギー部門
研究企画部長　東島　智

　リーゼ・マイトナーによって広がった核エネルギーの研究。太陽などの恒星が輝き続ける源である核融合を，プラズマを使って地上で起こすという応用研究も進んでいます。

　核融合は，軽い原子核同士が結合して重い原子核になる反応です。核融合を起こすためには，正の電荷を帯びる原子核間に働く斥力に逆らって近づけるために，原子核を高エネルギー状態にする必要があります。高いエネルギー状態の原子核を大量に作るには，原子核と電子がバラバラになったプラズマを利用するのが適しています。地上で起こしやすい核融合は，水素の同位体である重水素と三重水素(トリチウム)を用いる反応であり，そのためにはプラズマを数億度の高温にする必要があります。

　カーボンニュートラル*の実現が不可避とされる2050年頃をターゲットに，高温のプラズマを使って核融合を起こし，エネルギーを産み出そうとする研究開発が精力的に進んでいます。量子科学技術研究開発機構では，電磁石を用いてドーナツ状の磁力線のカゴを作り，その中に高温プラズマを安定的に閉じ込める「トカマク方式」の研究開発が進展しています。トカマク方式ではこれまでに，「試験装置」であるJT-60において，エネルギー増倍率(プラズマの加熱に使ったエネルギーに対する核融合により生成されたエネルギーの比) 1.25を達成し，核融合エネルギー発生に関する科学的な検証を行いました。現在は，次段階である「実験炉」として，日本・欧州・米国・ロシア・インド・中国・韓国の7極のもと，重水素と三重水素を用いて持続的な核融合燃焼を実証するイーター(ITER)計画(フランスのサン・ポール・レ・デュランス市)を進めており，2025年からの装置運

───────────────
＊カーボンニュートラル：二酸化炭素の排出量と吸収量が±0となる状態

図16.2　イーター建設サイト（2021年5月）
　　　写真中央の建物の中でイーター本体の組立が進んでいる

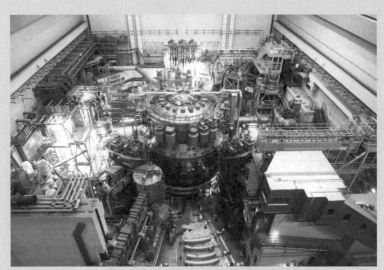

図16.3　2020年3月に完成した核融合超伝導実験装置JT-60SA

転を目指してその建設が佳境に入っています（図16.2）。イーターは，超伝導電磁石を用いた巨大な装置であり，熱出力50万kW，エネルギー増倍率10の高温プラズマを400秒間程度維持することを目標としています。

　高温プラズマを用いる核融合では，プラズマ圧力の2乗に比例して核融合出力が上がることがわかっています。プラズマ圧力を上げられれば，結果としてコンパクトな核融合炉を実現できることになります。そこで高圧力プラズマの実現などを目的として，イーター計画の次の段階として最初に発電する「原型炉」を目指し，日欧協力のもと，超伝導実験装置JT-60SA計画（茨城県那珂市）を進めてきており，本体が2020年3月に完成しました（図16.3）。現在，その運転が開始されたところです。また同じく日欧協力のもと，「原型炉」に必要な要素技術の開発として，原型炉設計とその研究開発，計算機を使ったシミュレーション，材料開発に不可欠な核融合中性子の照射施設に関する研究開発など（青森県六ヶ所村）を進めています。

　石炭，石油，原子力などの従来のエネルギー源に比べ，核融合は，燃料が地球上に無尽蔵にあり，二酸化炭素を排出しないため地球環境に優しいエネルギー源です。さらに高レベルの放射性廃棄物を出さないことに加え，反応は容易に停止できるという安全性を有しており，その実現が大きく期待されています。

読書案内

図解でよくわかる　核融合エネルギーのきほん
世界が変わる夢のエネルギーのしくみから，環境・ビジネス・教育との関わりや将来像まで
「核融合エネルギーのきほん」出版委員会 編，誠文堂新光社（2021）

脱炭素社会の実現が不可避とされる2050年頃をターゲットに，開発の進む核融合。そんな核融合について具体的には知らない方，エネルギー問題に興味のある方，研究者を志す方，ビジネスチャンスを狙う方など，広い読者層に向け，最新の成果をふんだんに取り込み，さまざまな観点から核融合について解説しています。

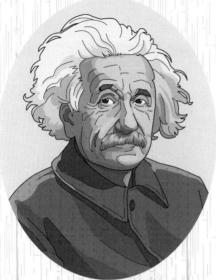

「私たちの作り上げた科学は，
まだまだ幼稚で原始的なものと
言える。にもかかわらず，
科学は私たちのもっている
ものの中で
最も尊いものなのだ」

20世紀最大の科学者
アルベルト・アインシュタイン
1879-1955
Albert Einstein

♚ 略 歴 ♚

1879 年	ドイツ南部でユダヤ人の子として生まれる。子どもの頃は不得意な科目のほうが多かった。
1896 年	チューリッヒ工科大学に進学するが，授業がつまらなく感じた。
1902 年	スイス連邦特許局に勤め，翌年結婚。この間に思索・研究活動を行う。
1905 年	「特殊相対性理論」など 3 つの論文を発表。「奇跡の 1905 年」と呼ばれる。
1916 年	「一般相対性理論」発表。
1919 年	天体観測でアインシュタインの理論が実証され一躍時の人に。
1921 年	ノーベル物理学賞を受賞する。
1933 年	ナチスによるユダヤ人迫害により，アメリカに亡命。自分の理論から生まれた原子力爆弾の広島・長崎への投下を嘆き，反戦，平和活動に力を注ぐ。
1955 年	遺言に「葬式はしない，墓や記念碑は作らない」と記し 76 歳で逝去。

少年アインシュタインの疑問

図17.1　鏡を持って光と同じ速さで走っても顔は映る？[1]

人の顔が鏡に映っています。当たり前ですよね。では仮に，このままこの人がすごい速さで走ったとします。それでも相変わらずこの人は鏡の中に自分の顔を見ることができます。では，さらに光と同じ速さで走ったとしたら。それでもこの人は鏡に自分の顔を見ることができるでしょうか。「ひょっとしたら鏡には何も映らないんじゃないか？」。16歳の少年の頭に浮かんだ疑問でした。

　少年は10年後，画期的な理論でその解答を出した。少年の名はアルベルト・アインシュタイン。その理論は「相対性理論」と呼ばれ，それまで数世紀にわたって信じられてきた物理学の常識を根底から覆してしまった。

みなさんはアインシュタインと聞いたら，どのような姿を思い浮かべますか？　アインシュタインが亡くなったのは1955年ですが，みなさんもその名を聞けば舌を出しておどけてみせる彼のユーモア溢れる写真を容易に思い浮かべることができるのではないでしょうか。それほどこの人の個性と仕事は桁違いに大きかったのです。

天才は勉強がキライ？

　アインシュタインは1879年，ドイツ南部の町ウルムでユダヤ人の子として生まれた。幼い頃から図形の問題に夢中であったが，学校では特に成績が良かったわけではなく，不得意な科目のほうが多かった。先生の言うことを聞かず，規則に縛られるのが嫌いな子どもであった。

父親が息子の進路について相談に行ったとき，小学校の先生はこう答えたそうです。「息子さんは大した人物にはならないだろうから，どの分野に進もうと同じだろう」と。ひどい先生もいたものです。

　1896年，17歳になったアインシュタインはスイスにあるチューリッヒ工科大学に入学した。数学の教員コースを選んだが，アインシュタインにとって大学の授業はおよそつまらなかった。好きな化学や物理を独習するか哲学や文学の本ばかり読んでいた。

「試験のために一切のガラクタを，望むと望まぬとにかかわらず頭に詰め込まねばならないのが重荷なのは言うまでもない。こういう強制は私をひどく怯えさせた」

どうやら大学の4年間はあまり楽しいものではなかったようです。かろうじて卒業はできましたが就職のあてはありません。アインシュタインも相当落ち込んでしまうのですが，大学時代の友人の世話でスイス連邦特許局に三等専門官の仕事が得られました。さあ，ここからいよいよアインシュタインの本当の活躍が始まります。

奇跡の1905年

　1903年，24歳のときチューリッヒ工科大学時代の仲間ミレーバ・マリッチと結婚。翌年，長男が誕生する。スイス・ベルンの町での生活は質素だったが，特許局の仕事は楽で自分の思索のための時間を十分に取れるのがありがたかった。アインシュタインはこれまでに抱いていた物理学上の諸問題へ，さまざまなアプローチを開始した。アインシュタインの全身からほとばしるエネルギーがあった。そして奇跡の1905年が訪れる。

「奇跡の1905年」というのは，あのアイザック・ニュートンがその後，数世紀を支配する物理理論の着想を得た「奇跡の1666年」にちなんだものです。この年アインシュタインは立て続けに3つの論文を発表しました。

　第1の論文は「発見的見地から見た光の発生と変換」と題した論文で，物質が原子からできているように，光も光量子という粒からできているとした。第2の論文は「分子の大きさの新しい決定」という題で，物質を構成している分子について追求したものだった。そして3番目が，「運動している物体の電気力学について」だった。この最後の論文こそ，アインシュタインの名を不朽のものとする「相対性理論」を展開したものだった。

ここで，「相対性理論」とはいかなるものかをお話ししなければいけないのですが，私は困惑しています。なぜなら，当時の科学者でさえ理解できる人は少なかったと言われるぐらい難しい論文ですし，現在でも本当に理解するには膨大な物理学の知識が必要と言われているのです。私にわかることは，とにかく常識はずれの理論だなということです。

　鏡を目の前に持って，仮に光と同じ速さで走ったら自分の顔は鏡に映らないのではないか。少年のときに抱いた疑問に，アインシュタインは「そんなことはありえない。映るはずだ」という答えを出した。アインシュタインは「どんな状況においても，光の速さは秒速30万キロメートルで一定であり，光よりも速い物体はない」と考えた。

　　　また，物体が光の速さに近づくと，不思議なことに時間がゆっくりとなり物体が縮むと考えたのです。光を絶対的基準として，アインシュタインはとんでもない理論を作り出したのです。こんな例で考えてみましょう。

　図17.2（a）のような1つの宇宙船がある。この宇宙船は，外から見えるようになっているものとする。この宇宙船に光を使った時計をセットした。この時計はピカッと電球が光ると下の鏡で光が反射され，電球の横にある光センサで感知されるようになっている。そしてこのとき光時計が1つ時を刻むようにしてある。宇宙船にいる人は，光がまっすぐ上下して時を刻んでいるように見える。

　さて，この宇宙船が地上の宇宙基地の前を通り過ぎるとき，基地の人には時計はどう見えるだろう。宇宙船は前方に動いているので，光は図17.2 （b）のようにV字型に進むように見える。

　このV字型の光の進路は，宇宙船内の光の進路よりも長い距離になっている。光の速度は一定で変化しないなら，長い距離を進んだとなると，当然時間も長くかかるということになる。時計の時の間隔が長くなったのである。つまり基地にいる人から見ると，宇宙船の中の時計はゆっくり進んでいるように見える。

　このことから，運動する物体を見るとき，時間は見る人によってゆっくり進んだり早く進んだりする相対的なものだということがわかるのである。さらにアインシュタインは時間だけでなく空間も，見る人によって伸びたり縮んだり変化す

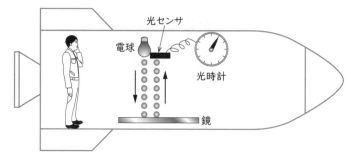

（a）宇宙船内の時間

（b）地球の宇宙基地から見た宇宙船の時間

図17.2　見る人によって，時計の進み方が異なる

る相対的なものだと提唱した。

　アインシュタインは，この宇宙において光以外に絶対的な基準は存在せず，観察者によって時間や空間が伸びたり縮んだりするものだ，と主張した。さらにもう1つ，アインシュタインがその独創性を発揮したのは，重力の問題についてであった。

「私はベルンの特許局で椅子に座って考えていました。そのとき，まったく突然にこんな考えが浮かんだのです。「自由落下する人間は，自分の重さを感じないはずだ」。私はハッとしました。この単純な思いつきに，私は深い感動を覚えました。その感動をばねに，私は重力の理論を発展させることができたのです」

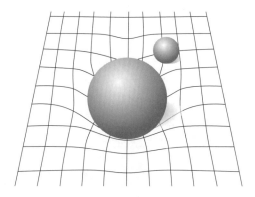

図17.3　アインシュタインが提唱した重力のイメージ

　アインシュタインは「重力は力ではない」と提唱をした。「太陽は惑星を引っ張ってはいないし，地球も落下するリンゴを引っ張ってはいない」としたのである。例えば「薄い布ゴムの上にボールを置いた状態のようなもの」と考えたのである。太陽や地球のような質量の大きな物体は，その周囲の時空を湾曲させゆがませる。ここにビー玉を転がすと，ボールのほうに引き寄せられながら進む（図17.3）。

　このゆがんだ空間では，光さえも曲がってしまうというのである。

あまりに独創的で大胆だったこの理論は，当初強い支持を受けたわけではありませんでした。反論する人，共感して実際に実験で確かめようとする人など，まちまちでした。
やがてヨーロッパは第一次世界大戦の戦火に飲み込まれます。アインシュタインの理論が広く世に認められるためには，戦争の終結を待たなければなりませんでした。

　アインシュタインの勝利は劇的な形でやってきた。1919年，イギリスの天文観測隊がアインシュタインの理論が正しいことをはっきりとした証拠とともに公表したのである。皆既日食の際に太陽近くの星の位置を測定した。すると，いつもは太陽に隠れて見えないはずの星が見えたのである。星は本当の位置よりもずれていた。短い間に星が動くはずはないので，光が曲がって地球に到達したとし

図17.4　見えないはずの星が見え，アインシュタインの理論を証明した

か考えられない。

　その空間を通過する光は，曲がってしまったのである。しかもそのズレは，アインシュタインが計算したとおりの距離だったのである。マスコミは，「ニュートン以来の大革命」と報じ，「相対性理論」は学会の枠を超え，たちまち世界中に熱狂的なブームを巻き起こした。

私たちの日常生活の中ではピンとこないことばかりですが，非常に巨大な宇宙の仕組みから小さな物質の仕組みまで，アインシュタインの「相対性理論」なしには成立しません。若干26歳。無名の特許局勤めの若者の頭に生まれた壮大なロマンでした。
一躍，映画スター並みの有名人になったアインシュタイン。この頃はすでにベルリン大学の教授職についていましたが，マスコミや研究者，一般大衆がアインシュタインを追い回します。アインシュタインは皮肉を込めて，こんなつぶやきを漏らしています。

「権威を侮辱してきた罰なのか。運命は私自身を権威にしてしまった」

ノーベル賞受賞と反戦平和主義

　1919年，アインシュタインの私生活が大きく変わる。妻ミレーバと離婚し，いとこのエルザと再婚した。そして1921年に光電効果の論文が認められ，ノーベル物理学賞を受賞する。この頃からドイツで噴出した反ユダヤ感情を嫌って，もっぱら外国からの招待に応じ各国で公演するようになる。

　ところで，アインシュタインは優れた科学者であると同時に，徹底した反戦平和主義者でした。「科学者が人殺しの戦争に手を貸してはいけない」と身の危険を顧みずアピールしていました。ですから，ユダヤ人追放を公言し軍事体制を強化するナチスとアインシュタインが相容れるはずがありません。

　1930年代初め，ヒトラー率いるナチスがユダヤ人への迫害を開始する。アインシュタインは1933年にアメリカへ亡命。プリンストン研究所に招かれる。

　ナチス・ドイツによるポーランド侵攻から始まった第二次世界大戦は全世界を戦場と化した。ヨーロッパでは約600万人のユダヤ人が虐殺された。同朋の悲惨な運命をアインシュタインはどんな気持ちで受け止めたのだろう。

　1939年，ナチスがまったく新しい兵器である原子爆弾製造の準備に入ったという情報が流れた。

　その新兵器・原子爆弾は，質量はエネルギーに変換できるというアインシュタインの相対性理論から発想されたものであった。その公式は「$E = mc^2$」として知られている。これは，物体がもっている固有の量，つまり質量の中に閉じ込められたエネルギーの総量Eは，その質量mに光の速さcの2乗を掛けたものに等しいということである。光の速さは一定であるから，Eとmは比例する。つまり，質量そのものがエネルギーになったり，エネルギーが質量になったりするのである。この理論が実際の爆弾に使われたとしたら，たった1gの物質からTNT火薬（高性能爆薬）にして2万tのエネルギーを生み出すことができるという。

　ナチスによる原爆製造の情報を知ったアインシュタインは，ルーズベルト大統

領にアメリカでの原爆開発の可能性について手紙を書いた。アインシュタインが原爆の製造に直接参加することはなかったが，アインシュタインのこの行動は，当時の反戦運動に多くの波紋を呼んだ。

戦争も終わり近くアメリカは原爆を開発し，それを広島と長崎に投下しました。そのニュースを聞いたときアインシュタインは，「O Weh！（痛ましい！）」と言って絶句したそうです。

　戦争は終わった。しかし人類は核兵器という新たな恐怖に向き合うことになった。アインシュタインは世界が核地獄への道を歩んでいることを懸念した。そして体が許す限り，どこにでも行って軍縮と核兵器の廃絶を訴え続けた。
「私たちの世界は今や，これまでになかった重大な危機に直面しています。原子力という，善悪いずれにも使える大きな力が生まれたからです。この問題の解決は私たち人類の心の中にあります」

恐ろしい目的のためにスタートした原子力利用ですが，現在では私たちの生活になくてはならないものになっています。東日本大震災前の日本の電力の約35%が原子力発電によるものだったこと，世界でも原子力発電に依存する国があることを，みなさん知っていましたか？　わずかな資源から莫大なエネルギーを取り出すことができる原子力。このことを考えると，本当に大切なのは私たちが科学をどう利用していくかということであるとつくづく感じます。

偉大なる物理学者の最期

晩年のアインシュタインは，重力と電磁力の統合する統一場理論の構築に精力を傾けましたが，未完に終わりました。しかしアインシュタインを訪ねてプリンストンを訪れる科学者は数多く，その人たちはアインシュタインの研究をさらに発展させました。日本で初のノーベル賞を受けた湯川秀樹博士も，その中の1人です。

　アインシュタインの講義はいつも型破りなものだったという。複雑な計算式が思い出せないと保留にし，その後突然「ああ，わかった」と言って説明しだしたりするのだった。人々はついていくのに大変であったが，出来上がった教科書に頼らないことが，かえって講義を楽しいものにしたという。晩年，アインシュタインは健康を害したが，平和活動と科学の研究はやめなかった。

　そして1955年4月18日の早朝，偉大な天才はプリンストンの病院で息を引き取った。遺言に「葬式はしないように」「墓や記念碑は作らないように」と指示してあった。

アインシュタインという人は，汲めども尽きない泉のような深い魅力をもった人でした。もじゃもじゃ頭の中にぎっしり詰め込まれたとてつもない発想。スニーカーにヨレヨレズボン，トレーナー姿で講義する先生。アナグマのような生活が好きだと公言してはばからず，そして何より真理の前にはいつも謙虚だった人。アインシュタインはこのような言葉を残しています。

　「長い人生の中で1つ学んだことがある。現実を見る限り私たちの作り上げた科学は，まだまだ幼稚で原始的なものと言える。にもかかわらず，科学は私たちのもっているものの中で最も尊いものなのだ」

アインシュタインの "遺言状"

編集部

　イギリスの哲学者ラッセルとアメリカの物理学者アインシュタインは，1955年4月11日に核戦争絶滅を訴える宣言に署名しました。アインシュタインはその7日後に亡くなりますが，ラッセルは世界的な学者9名の署名を得て，7月9日にこの宣言を発表したため，この宣言はアインシュタインの「遺言状」とも呼ばれています。

　当時はアメリカとソ連（現在のロシア）の核軍拡競争の時代でした。核戦争がいかに悲惨で無意味か，国際紛争は戦争でなく平和的に解決すべきとして核兵器廃棄を主張したこの訴えは世界的に反響を呼びました。1957年には，22名の世界的科学者が核廃絶を話し合う国際会議「パグウォッシュ会議」が開催され，今日に至っています。2020年1月には国連で核兵器の開発，保有，使用を禁止する「核兵器禁止条約」が発効しましたが，核保有五大国や日本などは参加しませんでした。みなさんは科学と社会のかかわりをどう考えるでしょうか？

ラッセル・アインシュタイン宣言（1955）(抜粋)[2]

「（前略）私たちは今この機会に，特定の国や大陸，信条の一員としてではなく，存続が危ぶまれている人類，ヒトという種の一員として語っています。世界は紛争に満ちています。（中略）

すべての人が等しく危険にさらされています。そして，その危険の意味が理解されれば，それを共に回避する望みがあります。（中略）

非常に信頼できる確かな筋は，今では広島を破壊した爆弾の2500倍も強力な爆弾を製造できると述べています。そのような爆弾が地上近く，あるい

は水中で爆発すれば，放射能を帯びた粒子が上空へ吹き上げられます。これらの粒子は死の灰や雨といった形でしだいに落下し，地表に達します。日本の漁船員と彼らの魚獲物を汚染したのは，この灰でした。

死を招くそのような放射能を帯びた粒子がどれくらい広範に拡散するかは誰にもわかりません。しかし，最も権威ある人々は，水爆を使った戦争は人類を絶滅させてしまう可能性があるという点で一致しています。もし多数の水爆が使用されれば，全世界的な死が訪れるでしょう——瞬間的に死を迎えるのは少数に過ぎず，大多数の人々は，病いと肉体の崩壊という緩慢な拷問を経て，苦しみながら死んでいくことになります。（中略）

人々は，自分自身と自分の愛する者たちがもだえ苦しみながら滅びゆく危急に瀕していることを，ほとんど理解できないでいます。だからこそ人々は，近代兵器が禁止されれば戦争を継続してもかまわないのではないかと，期待を抱いているのです。（中略）

私たちの前途には——もし私たちが選べば——幸福や知識，知恵のたえまない進歩が広がっています。私たちはその代わりに，自分たちの争いを忘れられないからといって，死を選ぶのでしょうか？私たちは人類の一員として，同じ人類に対して訴えます。あなたが人間であること，それだけを心に留めて，他のことは忘れてください。それができれば，新たな楽園へと向かう道が開かれます。もしそれができなければ，あなたがたの前途にあるのは，全世界的な死の危険です。」

決議

私たちはこの会議に，そしてこの会議を通じて，世界の科学者，および一般の人々に対して，以下の決議に賛同するよう呼びかけます。

「私たちは，将来起こり得るいかなる世界戦争においても核兵器は必ず使用されるであろうという事実，そして，そのような兵器が人類の存続を脅かしているという事実に鑑み，世界の諸政府に対し，世界戦争によっては自分たちの目的を遂げることはできないと認識し，それを公に認めることを強く要請する。また，それゆえに私たちは，世界の諸政府に対し，彼らの間のあらゆる紛争問題の解決のために平和的な手段を見いだすことを強く要請する。」

署名者：

マックス・ボルン
パーシー・**W**・ブリッジマン
アルバート・アインシュタイン
レオポルド・インフェルト
フレデリック・ジョリオ・キュリー
ハーマン・**J**・マラー
ライナス・ポーリング
セシル・**F**・パウエル
ジョセフ・ロートブラット
バートランド・ラッセル
湯川秀樹

読書案内

物理学はいかに創られたか（上）（下）

アインシュタインほか 著，石原 純 訳，岩波書店（1963）

20世紀を代表するアインシュタイン博士が数式を用いずに，また例え話を用いながら物理学の歩みを理解できるように解説する贅沢な本です（訳がちょっと堅いですが）。なお「相対性理論」は岩波文庫に収録されている「動いている物体の電気力学」という約50頁の論文です。勇気のある方はぜひ挑戦してみてください。

あとがき

　大学進学者の多い高校では，受験を見据え文系か理系かを選択しなければならない時期が来ます。しかし私たちの社会で次々と起きるさまざまな課題は，文系や理系に分けて簡単に解決することはできません。SDGs（持続可能な開発目標）の最初の3項目は「貧困をなくそう」「飢餓をゼロに」「すべての人に健康と福祉を」ですが，これだけでも1つの学問分野ではとても解決できそうにないことがわかります。そもそも貧困，飢餓はどうして生じるのか，健康と福祉を得られないのはなぜかを考え，それらが生じるメカニズムを分析し，いくつもの要因を1つずつ相互の関係を見据えながら解決策を探さなければ本当の解決には至れないでしょう。そのためには，さまざまな人々と協力して，さまざまな分野の知識を動員して，デザインし，「総合知」を創り出すことが必要なのです。

　本書は科学の偉人を紹介しています。真理の追究や人や社会の役に立ちたいという偉人たちの探究とその生涯を通して，探究テーマや将来の姿を考える機会にして欲しいと思います。自ら問いを立て，自ら学びを深めていく姿勢は今日の探究学習そのものと思います。そのとき，教科書の知識をいかに多く記憶できるか，ネットから知識をいかに素早く探し出せるかはさほど重要ではありません。またさまざまな知識を自ら吸収していく姿勢は，STEAM教育＊のモデルとして参考になると思います。さらに，科学の進歩や考え方に触れることで科学の進んだ人間社会のあり方やSDGsなどの課題を考える際の参考になると思います。

＊科学（Science），技術（Technology），工学（Engineering），アート（Art），数学（Mathematics）の5領域を対象とした理数教育に創造性教育を加えた教育理念。

本書を刊行することとなったきっかけは，前著『世界を変えた60人の偉人たち』執筆の際に，科学技術振興機構（JST）サイエンスポータル「偉人たちの夢」を発見したことに遡ります。前著はテクノロジーが主役でしたので，読者から著名な科学者が登場する書籍刊行のご要望をいただいていたのです。そこでJST様に書籍化のご相談をしたところ，幸いにもご快諾をいただき編集作業に入りました。しかし公開から10年以上経っていたことから，原稿作成や内容確認に時間がかかりました。加えて2020年1月からの新型コロナウイルスの感染拡大の影響で発行が大幅に遅れ，関係のみなさまには大変なご心配をおかけしてしまった次第です。

　ここにシリーズを刊行できましたのも関係のみなさまのご協力のおかげと感謝申し上げます。本学園顧問として高い見識と幅広い知見をご教示いただき，巻頭言を寄稿いただきました吉川弘之先生に厚く御礼申し上げます。また動画「偉人たちの夢」の活用をご快諾いただきましたJST「科学と社会」推進部のみなさまに感謝申し上げます。そしてエピローグをご執筆いただきました先生方には，次世代を担う若者のために多大なご協力を賜り深く感謝申し上げます。東京電機大学田中浩朗教授にもアドバイスをいただきました。書籍化に際しては出版局員一同がかかわりました。

　本書を手にした中学生，高校生のみなさんが，偉人たちそして諸先生方からの素晴らしい贈り物を大切に受け取っていただけたなら，これ以上の喜びはありません。なお，本書の不十分な点，ご指摘などありましたらぜひご教示いただければ幸いです。

編者を代表して　田丸　健一郎

参考文献

◎ロバート・ボイル
1） Wikimedia Commons：https://commons.wikimedia.org/wiki/File:Boyle_air_pump.jpg

◎ロバート・フック
1） Wikimedia Commons：https://commons.wikimedia.org/wiki/File:Hooke-microscope.png
2） Wikimedia Commons：https://commons.wikimedia.org/wiki/File:Micrographia_title_page.gif
3） Wikimedia Commons：https://commons.wikimedia.org/wiki/File:RobertHookeMicrographia1665.jpg
4） Wikimedia Commons：https://commons.wikimedia.org/wiki/File:Louse_diagram,_Micrographia,_Robert_Hooke,_1667.jpg
5） Wikimedia Commons：https://commons.wikimedia.org/wiki/File:Flea_Micrographia_Hooke.png
6） Wikimedia Commons：https://commons.wikimedia.org/wiki/File:Hooke-bluefly.jpg
7） Project Gutenberg：http://www.gutenberg.org/files/15491/15491-h/images/scheme-32.png
8） Wikimedia Commons：https://commons.wikimedia.org/wiki/File:NewtonsTelescopeReplica.jpg
9） Wikimedia Commons：https://commons.wikimedia.org/wiki/File:NewtonsPrincipia.jpg

◎ベンジャミン・フランクリン
1） Wikimedia Commons：https://commons.wikimedia.org/wiki/File:Benjamin_West,_English_(born_America)_-_Benjamin_Franklin_Drawing_Electricity_from_the_Sky_-_Google_Art_Project.jpg

2) Wikimedia Commons：https://commons.wikimedia.org/wiki/File:Poor_Richard.jpg
3) Wikimedia Commons：https://commons.wikimedia.org/wiki/File:Franklin_-_Pennsylvania_Fireplace.png
4) Wikimedia Commons：https://commons.wikimedia.org/wiki/File:Leid-flasch.gif

◎ジェームズ・ワット
1) Wikimedia Commons：https://commons.wikimedia.org/wiki/File:Maquina_vapor_Watt_ETSIIM.jpg
2) Wikimedia Commons：https://commons.wikimedia.org/wiki/File:Model_Newcomen_Engine.jpg

◎ゲオルク・ジーモン・オーム
1) Wikimedia Commons：https://commons.wikimedia.org/wiki/File:Volta_battery-MHS_373-IMG_3841.JPG

◎マイケル・ファラデー
1) Wikimedia Commons：https://commons.wikimedia.org/wiki/File:De_Magnete_III.jpg
2) Wikimedia Commons：https://commons.wikimedia.org/wiki/File:Bicycle_dynamo_and_light.jpg

◎ヴィルヘルム・レントゲン
1) Wikimedia Commons：https://commons.wikimedia.org/wiki/File:Chest_X-ray_2346.jpg
2) Wikimedia Commons：https://commons.wikimedia.org/wiki/File:Kat%C3%B3dsugarak_m%C3%A1gneses_mez%C5%91ben(2).jpg
3) 辻井博彦，鎌田 正：ここまできた重粒子線がん治療――がん病巣をピンポイントで攻撃しかも副作用が少ない最先端治療のいま，産学社（2017）

◎J. J. トムソン
1) Wikimedia Commons：https://commons.wikimedia.org/wiki/File:The_Cavendish_Laboratory_-_geograph.org.uk_-_631839.jpg

2） Wikimedia Commons：https://commons.wikimedia.org/wiki/File:Palais_de_la_
D%C3%A9couverte_-_R%C3%A9plique_de_la_chambre_%C3%A0_brouillard_
de_CTR_Wilson_-_1912_-_001.jpg

◎マリー・キュリー
1） Wikimedia Commons：https://commons.wikimedia.org/wiki/File:Marie_and_
Pierre_Curie_(centre)_in_their_laboratory,_Paris_Wellcome_V0030700.jpg
2） Wikimedia Commons：https://commons.wikimedia.org/wiki/File:Pitchblende_
Shinarump_Mine.jpg
3） Wikimedia Commons：https://commons.wikimedia.org/wiki/File:Marie_
Curie_-_Mobile_X-Ray-Unit.jpg

◎寺田寅彦
1） Wikimedia Commons：https://commons.wikimedia.org/wiki/File:Ich_der_
Kater_2.jpg
2） Wikimedia Commons：https://commons.wikimedia.org/wiki/File:Tokyo_
Resurrection_Cathedral_-_after_1923_earthquake.jpg

◎リーゼ・マイトナー
1） Wikimedia Commons：https://commons.wikimedia.org/wiki/File:Lise_Meitner_
(1878-1968),_lecturing_at_Catholic_University,_Washington,_D.C.,_1946.jpg

◎アルベルト・アインシュタイン
1） パブリックドメインQ：https://publicdomainq.net/woman-girl-portrait-
mirror-0019608/
2） 日本パグウォッシュ会議：新和訳「ラッセル＝アインシュタイン宣言」，日本パグ
ウォッシュ会議，https://www.pugwashjapan.jp/russell-einstein-manifesto-jpn

偉人名言参考文献

◎ロバート・ボイル

マーガレット・エスピーナス，横家恭介(訳)：ロバート・フック，国文社(1999)

◎ロバート・フック

ロバート・フック，永田英治・板倉聖宣(訳)：ミクログラフィア図版集——微小世界図説，仮説社(1984)

◎アイザック・ニュートン

アイザック・ニュートン，河辺六男(訳)：世界の名著26——ニュートン，中央公論社(1971)

◎ベンジャミン・フランクリン

ベンジャミン・フランクリン，松本慎一・西川正身(訳)：フランクリン自伝，岩波書店(1957)

◎マイケル・ファラデー

ダビド・K・C・マクドナルド，原島鮮(訳)：ファラデー，マクスウェル，ケルビン——電磁気学のパイオニア，河出書房新社(1974)

◎ケルヴィン卿(ウィリアム・トムソン)

ダビド・K・C・マクドナルド，原島鮮(訳)：ファラデー，マクスウェル，ケルビン——電磁気学のパイオニア，河出書房新社(1974)

◎ヴィルヘルム・レントゲン

山崎岐男：孤高の科学者W.C.レントゲン，医療科学社(1995)

◎マックス・プランク

アインシュタイン，マックス・プランク，石原 純（訳）：世界大思想全集48——相対性理論，エネルギー恒存の原理，物理学的展望，春秋社（1930）

◎長岡半太郎

長岡半太郎：長岡半太郎——原子力時代の曙，日本図書センター（1999）

◎マリー・キュリー

エーヴ・キュリー，河野万里子（訳）：キュリー夫人伝，白水社（2014）

◎リーゼ・マイトナー

シャルロッテ・ケルナー，平野卿子（訳）：核分裂を発見した人——リーゼ・マイトナーの生涯，晶文社（1990）

サイエンス探究シリーズ
偉人たちの挑戦2　物理学編 I

2022年 3 月20日 第1版1刷発行　　　　　ISBN 978-4-501-63330-1 C0040

編　者　東京電機大学
　　　　© Tokyo Denki University 2022

発行所　学校法人 東京電機大学　　〒120-8551　東京都足立区千住旭町5番
　　　　東京電機大学出版局　　　　Tel. 03-5284-5386（営業）03-5284-5385（編集）
　　　　　　　　　　　　　　　　　Fax. 03-5284-5387 振替口座 00160-5-71715
　　　　　　　　　　　　　　　　　https://www.tdupress.jp/

組版：徳保企画　　印刷：（株）ルナテック　　製本：誠製本（株）
装丁：福田和雄（FUKUDA DESIGN）　　偉人イラストレーション：宮島幸次
落丁・乱丁本はお取り替えいたします。　　　　　　Printed in Japan

本書は，国立研究開発法人科学技術振興機構の制作協力のもと映像コンテンツ
「偉人たちの夢」をもとに著作物として制作し刊行したものである。